Vitamina D
IAN WISHART

Título original: *Vitamin D*

Vitamina D

2ª edição: Janeiro 2019

Direitos reservados desta edição: CDG Edições e Publicações

O conteúdo desta obra é de total responsabilidade do autor

e não reflete necessariamente a opinião da editora.

Autor:

Ian Wishart

Tradução:

Gisele Viegas

Revisão:

3GB Consulting

Capa:

Juliano Pozati

Projeto gráfico:

Dharana Rivas

DADOS INTERNACIONAIS DE CATALOGAÇÃO NA PUBLICAÇÃO (CIP)

W814v   Wishart, Ian.

Vitamina D. / Ian Wishart; tradução: Gisele Viegas. — Porto Alegre: CDG, 2015.

ISBN: 978-85-68014-17-2

1. Medicina – promoção da saúde. 2. Nutrição. 3. Doenças. 4. Vitamina D. I. Viegas, Gisele. II. Título.

CDD - 612.399

Produção editorial e distribuição:

contato@citadeleditora.com.br
www.citadeleditora.com.br

Sumário

Prefácio	7
Introdução	9
A história da vitamina D	13
A maldição do Alzheimer	23
Transtornos do espectro autista	31
Asma e alergias	41
Câncer de mama	49
Câncer de cólon e de próstata	61
O coração em questão	71
Infecções comuns	83
Concepção, gravidez, infância: por que o seu bebê precisa de vitamina D	95
Doenças mentais	111
Esclerose múltipla	115
Doença de Crohn e diabetes tipo 1	121
Protetor solar: um perigo claro e presente	125
Melanoma: a causa podem ser os protetores solares?	139
Vitamina D: melhores fontes	161
A posição da Nova Zelândia: um comentário	179
Notas	191

Para Heidi

Prefácio

Você sabia que a vitamina D é um hormônio? Assim como outros tipos de hormônios produzidos por nosso corpo, a vitamina D leva informações para todos os sistemas a partir de seus receptores nas mais variadas células. Por isso, o melhor caminho para ter um equilíbrio em seu corpo é ingerindo vitaminas, e consequentemente equilibrando também suas taxas hormonais a partir de uma dieta balanceada e funcional.

Vamos entender um pouco como a vitamina D atua em nosso organismo. Quando o 7-dehidrocolesterol (parte do colesterol) encontrado na pele entra em contato com os raios ultravioleta B do Sol, dá origem à pré-vitamina D3, que, por meio da corrente sanguínea, será ativada no fígado e rins. Muitas outras células do nosso corpo têm também a capacidade de ativar a pré-vitamina D3, em sua forma ativa, a 25 OH vitamina D. Nossos ossos estão em constante remodelação, desfazendo-se e liberando cálcio para a circulação, e se refazendo e depositando cálcio nos locais dos quais foram retirados. Esse mecanismo é mantido pelo controle do paratormônio (PTH), produzido nas glândulas paratireoides. Mas, para que esse processo possa ocorrer naturalmente ao longo da vida, ajudando a manter o equilíbrio ácido-básico e todas as reações bioquímicas dependentes de cálcio, é necessário ter a vitamina D ativada, para que ela dê o sinal para os intestinos absorverem o cálcio da dieta. OU seja, mesmo ingerindo cálcio em boas concentrações, sem vitamina D não conseguiremos absorvê-lo.

O mesmo PTH envia o comando para que os ossos liberem cálcio para a circulação. O interessante é que a própria vitamina D controla os níveis do paratormônio. Como sempre, tudo trabalha em conjunto para o equilíbrio do organismo (homeostase).

Portanto, manter os seus níveis de Vitamina D elevados a partir de uma exposição controlada ao sol ou com suplementação trará inúmeras vantagens para sua saúde, tais como:

– Manutenção da densidade óssea; Prevenção da osteoporose; Prevenção da osteomalacia (ossos amolecidos); Prevenção da sarcopenia (perda da massa muscular); Prevenção e tratamento de doenças autoimunes, como diabetes tipo I, artrite, esclerose múltipla entre outras; Auxílio no controle da síndrome metabólica, ajudando a controlar o peso, a hipertensão e o diabetes tipo II; Prevenção de cânceres; Prevenção de asma e infecções respiratórias; Saúde relacionada ao emocional, prevenção e depressão, desordem afetiva sazonal, síndrome da tensão pré-menstrual e desordem do sono; Controla a expressão de mais de três mil genes.

Durante toda a minha trajetória em consultório, orientei milhares de pacientes a praticarem a exposição ao sol de quinze a vinte minutos, ao meio-dia e sem protetor solar no corpo. Os que nesse horário estão no trabalho e cobertos por roupas o dia todo, peço que tomem banhos de sol nos finais de semana. É muito difícil adquirir dos alimentos toda a necessidade diária de vitamina D, por isso é importante procurar o seu médico para fazer uma suplementação adequada e entender quais as necessidades do seu organismo e rotina.

Para finalizar, é inconcebível tratar pessoas ou qualquer doença somente com drogas, negligenciando a suplementação desse hormônio para manter seus níveis dentro do melhor perfil de atividade. Eu espero que este livro possa trazer a você, leitor, muita informação e que o trabalho deste grande autor seja crucial para melhorar sua qualidade de vida. Saliento que fizemos aqui algumas adequações para facilitar o entendimento em português e garantir a fluidez da leitura. O autor fez um trabalho fantástico de imersão no tema e demonstrou toda a sua capacidade de pesquisa e organização textual para unificar em um único lugar uma grande quantidade de informação sobre o assunto. Boa leitura e um abraço.

Dr. Edmond Saab
Cardiologista, nutrólogo, presidente e diretor do CIMP (Centro Integrado de Medicina Preventiva) e autor dos best-sellers O manual do proprietário e Os segredos da longevidade

Introdução

Comecei as pesquisas para este livro há sete anos. Claro que na época eu não sabia disso. Naquele tempo, vitamina D era um assunto incipiente, bastante confinado à literatura médica e com pouca repercussão na imprensa de massa, especialmente na Austrália e na Nova Zelândia.

Enquanto o hemisfério norte estava mais informado sobre a falta de vitamina D, que ocorre com mais frequência em altas latitudes, o sul ensolarado permanecia em alegre ignorância. Não era possível haver deficiência de vitamina D abaixo do Equador – ou pelo menos era o que se pensava.

A revista *Investigate* foi o primeiro veículo da grande mídia da Nova Zelândia a lançar um debate sobre a vitamina D e questionar se nossa obsessão nacional com proteção solar estava tirando vidas em vez de salvá-las. Assumir esse posicionamento, ainda que com base em um conjunto de literatura cada vez maior, fez com que na época fôssemos linchados pelo sistema e por outros veículos de comunicação alimentados com doses maciças de dados da burocracia oficial.

É engraçado como as coisas mudam. Nos últimos doze meses foi difícil ignorar reportagens de jornais e revistas tocando exatamente nas mesmas questões que havíamos abordado anos atrás. De repente, a 25 hidroxivitamina D é a vitamina da hora. Está por toda parte. Todavia, uma coisa não mudou. A burocracia do setor da saúde continua servindo doses maciças de informação para os veículos de comunicação.

Por isso este livro. Desde 2005 tenho meu *e-mail* configurado para receber alertas diários do Google sobre notícias de estudos referentes à vitamina D, a fim de me manter em dia com a ciência. Todas as manhãs,

365 dias por ano, durante sete anos, um resumo de cerca de meia dúzia de manchetes do mundo inteiro esteve disponível na minha caixa de entrada. Isso significa mais de quinze mil reportagens e estudos científicos nos meus arquivos.

Entrevistei gente dos dois lados do debate e escrevi muitos artigos e reportagens ao longo dos anos. O que este livro tenta fazer é agrupar as pesquisas mais recentes para lhe fornecer um panorama geral sobre a vitamina D no que se refere às suas escolhas em termos de saúde.

Um em cada três de nós vai morrer de problema cardíaco, um em cada três vai morrer de câncer, e a doença de Alzheimer pode pegar um de cada dois de nós que cheguem à velhice. Entre os demais... bem, é cada um por si e salve-se quem puder.

Na corrida por uma vida melhor e um futuro mais feliz, todos nós buscamos aquele ingrediente miraculoso que nos deixe em situação vantajosa. Será a vitamina D o milagre?

Como pais, nos preocupamos não só com nossa saúde, mas também com a de nossos filhos. Gastamos fortunas em brinquedos educativos, atividades extracurriculares e qualquer coisa que proporcione a nossos filhos um diferencial em um mundo implacável. Ninguém quer que seus filhos tenham qualquer tipo de desvantagem mental ou física.

Porém, ao escutar e obedecer conselhos para evitar o sol e usar base com filtro solar o dia inteiro, podemos ter condenado não só a nós mesmos, mas também nossos filhos, a um risco maior de vir a sofrer de alguns dos piores transtornos conhecidos pela humanidade. Afinal, a vitamina D é a página na qual foi escrita a história da vida.

Leia os dados científicos nas páginas a seguir e decida por si se esse é um suplemento que você precisa conhecer bem e, com base nas evidências, ingerir frequentemente.

Advertência

O que você vai ler a seguir não se trata de um conselho médico para sua situação pessoal, pois essa coisa de solução única para todo mundo não existe. A maioria das pessoas que lerem este livro será deficiente em vitamina D de acordo com os padrões internacionais vigentes. Se você desejar dar início à suplementação com alguma das doses mais altas recomendadas por médicos e cientistas mencionados aqui, primeiro consulte seu médico para se certificar de que não haja conflito com alguma medicação que esteja usando ou com algum aspecto subjacente de sua saúde.

Se necessário, dê uma cópia deste livro a seu médico para que ele confira as pesquisas médicas relevantes ao seu quadro de saúde e então elabore um programa adequado às suas necessidades ou às de sua família.

A história da vitamina D

"A exposição moderadamente gradativa ao sol pode trazer mais benefícios que efeitos adversos, mesmo em relação à taxa total de mortalidade por câncer."

- Dr. Johan Moan, pesquisador de câncer da Noruega, 2008.

A história da vitamina D é tão antiga quanto a própria vida.

Em última análise, praticamente toda a energia disponível para a vida nesse planeta deriva do sol. Ele tem brilhado sobre a face da Terra por cerca de 4,5 bilhões de anos. Nesse espaço de tempo, a vida surgiu e prosperou, e o nosso código de DNA aparentemente foi concebido para processar a luz solar.

Evidência da síntese da vitamina D foi encontrada em restos fossilizados de um plâncton de mais de 750 milhões de anos. Com a radiação vinda de um sol jovem banhando qualquer coisa que nadasse, rastejasse, andasse ou crescesse, a vida não poderia ter resistido sem algum tipo de mecanismo que servisse para usar ou desviar as implacáveis emissões de energia da estrela mais próxima.

As plantas desenvolveram a fotossíntese, que transforma a luz solar em alimento. Os vertebrados converteram a luz solar em ossos.

A síntese da vitamina D é crucial para o desenvolvimento de esqueletos fortes. Sem esse processo, os ossos permanecem frágeis e/ou moles. Os poderosos dinossauros teriam entrado em colapso sob seu próprio peso em pilhas de carne e gordura sem a vitamina D.

De que modo os animais lidam com o câncer de pele? Ficar sob a luz solar durante todo o dia oferece um risco maior a eles do que aos seres humanos? Aparentemente não. Enquanto diferentes tipos de câncer de pele, incluindo o melanoma, são bastante comuns em animais, eles raramente são fatais e, muitas vezes, não precisam ser tratados, afirmam os veterinários[1]. Os animais são suficientemente adaptados à radiação e conseguem manter a maior parte das variações de câncer de pele sob controle. A seleção natural atua para assegurar que as linhas de genes mais resistentes sobrevivam e as mais suscetíveis sejam eliminadas.

Nos primatas, o mecanismo para a utilização da vitamina D é diferente do dos seres humanos. Quando a radiação solar atinge um símio ou um macaco, a vitamina D é sintetizada na pele, mas então secretada de volta para o pelo. É a partir dos atos de lamber uns aos outros ou catar piolhos e parasitas por entre os pelos que a vitamina D entra na boca e é digerida. É assim que os primatas utilizam a vitamina D para a formação dos ossos e para a saúde geral.

Então, o que deu errado com os seres humanos?

Por dezenas de milhares de anos, temos nos adaptado à radiação solar, com o exemplo mais óbvio sendo a coloração da pele. Os seres humanos que vivem perto dos trópicos apresentam tons de pele mais escuros graças à melanina, o pigmento protetor em nossas células que é ativado pela luz solar como um mecanismo de defesa contra a radiação UV. Já as populações que viviam mais ao norte ou ao sul do Equador desenvolveram tons de pele mais claros. Mas por quê?

Percebe-se hoje que as peles mais escuras nas latitudes mais elevadas não permitem doses suficientes de vitamina D em seu corpo porque bloqueiam o sol mais fraco de forma mais eficiente. Pessoas com a pele mais escura na Europa e na América do Norte ou na Nova Zelândia e no sul da Austrália, por exemplo, têm mais problemas de saúde do que as pessoas de pele clara. Foi apenas na última década, no entanto, que nos tornamos realmente conscientes do motivo real: a falta de vitamina D.

Os primeiros registros que podemos examinar, em retrospectiva, em busca de pistas, datam de 450 a.C., quando o historiador grego Heródoto observou que os guerreiros da Pérsia tinham crânios moles. Hoje em dia, sabemos que essa é uma condição óssea chamada osteomalácia, a forma adulta de "raquitismo". Heródoto relatou que os persas tinham cabeças moles porque usavam turbantes. Hipócrates, que inspirou o "Juramento de Hipócrates" da medicina, escreveu sobre o raquitismo pela mesma época e também prescreveu o sol como um tratamento para a tuberculose – uma doença hoje já conhecida por ser afetada pela vitamina D.

Ninguém naquela época sabia, é claro, sobre a existência da vitamina D ou sobre as reações precisas que a luz solar desencadeia no organismo humano.

Foi só a partir do início da era moderna que a ciência e os pesquisadores começaram a fazer uma conexão mais estreita entre algumas dessas condições. Em 1789, por exemplo, um médico prescreveu óleo de fígado de bacalhau – hoje conhecido como uma excelente fonte de vitamina D – para um paciente com reumatismo crônico. O óleo de fígado de bacalhau passou a ser usado então, com sucesso, como tratamento para crianças com raquitismo na década de 1820. Mas levou mais de cem anos até que a ciência finalmente desse um nome à misteriosa vitamina. Duas linhas de pesquisa, uma trabalhando com óleo de fígado de bacalhau e outra com a luz solar, convergiram na década de 1930 com a descoberta de que a luz solar estava criando na pele a mesma substância encontrada no óleo de fígado de bacalhau. A substância foi então batizada de vitamina D, porque era formada quando a substância *7-Dehydrocholesterol* era exposta à radiação ultravioleta[2].

Durante décadas, a ciência sabia que a vitamina D era crucial para a saúde óssea e esquelética, e, nos anos 1940 e 1950, eram rotineiramente recomendadas às crianças doses de óleo de fígado de bacalhau e luz solar para uma boa saúde.

Durante o mesmo período, no entanto, os filtros solares estavam começando a capturar a imaginação do público enquanto a industrialização mantinha as pessoas trabalhando atrás de portas fechadas em escritórios e fábricas iluminados por luz artificial.

A sociedade estava mudando. Pela primeira vez em milhares de anos, foi possível para as pessoas realmente se protegerem da radiação UV do sol. No entanto, ao mesmo tempo, os casos de câncer de pele, de repente, começaram a aumentar.

No início de 1990, um pesquisador do Instituto do Câncer da Noruega, professor Johan Moan, fez uma declaração significativa no *British Journal of Cancer*: enquanto a incidência anual de melanoma na Noruega tinha quadruplicado entre 1957 e 1984, não foi verificada nenhuma alteração na camada de ozônio sobre a região correspondente. "A destruição do ozônio não é a causa do aumento do câncer de pele", seu relatório no periódico médico observava.

Para enfatizar o rápido aumento das taxas de câncer de pele, os noruegueses voltaram a analisar os dados alguns anos mais tarde e perceberam que as taxas haviam crescido novamente. Foi constatado um aumento de 600% nos casos de câncer de pele entre 1960 e 1990 – apenas trinta anos! No entanto, nenhuma alteração nos níveis de ozônio foi comprovada.

Por que o câncer de pele aumentou se a causa supostamente não era a radiação UV que penetrava através do buraco na camada de ozônio?

Por um longo tempo, as pesquisas sobre a vitamina D não avançaram muito. A principal área de interesse das autoridades de saúde pública era divulgar campanhas que fossem facilmente compreendidas pelo público a fim de reduzir a crescente epidemia de câncer de pele.

Slip! Slap! Slop! tornou-se um *slogan* global.

Em meados dos anos 2000, no entanto, resultados estranhos foram emergindo dos estudos científicos. Ano após ano, pessoas com baixos níveis de vitamina D foram tendo suas probabilidades de morrer de câncer ou doença cardíaca aumentadas.

Em janeiro de 2008, o pesquisador da Noruega Johan Moan estava de volta ao centro do palco com a publicação de um relatório na revista *Proceedings of the National Academy of Sciences*, dos EUA[3], com base em novos dados de câncer da Nova Zelândia, Austrália e Escandinávia. Moan havia escolhido os antípodas porque as duas nações do hemisfério sul têm as taxas mais altas de câncer de pele e a mais forte radiação UV no mundo, graças, em grande parte, ao buraco na camada de ozônio sobre a Antártida e à inclinação atual do eixo da Terra.

Ele queria comparar os dados de câncer de pele da Nova Zelândia e da Austrália com as mesmas estatísticas no hemisfério norte. Sua equipe escolheu raças e tipos de pele que estão intimamente relacionados geneticamente a fim de obter a melhor comparação possível. O que ele encontrou abalou o mundo da investigação sobre a vitamina D.

Enquanto as pessoas no hemisfério sul sofrem com taxas de melanoma muito mais elevadas que as do norte, as taxas de sobrevivência da Austrália e da Nova Zelândia são – paradoxalmente – muito maiores na comparação vítima a vítima. O mesmo se aplica aos números internos de câncer de mama, próstata ou cólon – embora a região apresente taxas mais elevadas desses tipos de câncer, seus moradores também são mais propensos a sobreviver a eles.

Os australianos, que recebem mais sol do que os neozelandeses, têm mais probabilidades de sobreviver ao câncer do que os neozelandeses, dando mais peso à teoria.

O que permanece no ar é a causa exata de muitos desses tipos de câncer. As dietas modernas estão cheias de agrotóxicos e produtos químicos. Um estudo espanhol publicado em 2008 constatou que cada cidadão espanhol (100% da amostra do estudo) tem um ou mais pesticida agrícola circulando no sangue em níveis significativos. Nova Zelândia e Austrália, por serem grandes produtores agrícolas, podem ter taxas de câncer correspondentemente mais elevadas por essa razão. Mesmo assim, a luz solar parece ter um impacto significativo ao contribuir para a sobrevivência a esses tipos de câncer.

Os dados extraídos do estudo do PNAS levantaram dúvidas sobre o fato de a luz solar constituir a causa do melanoma:

> Os principais argumentos contra o conceito de que a exposição ao sol provoca melanoma maligno cutâneo (MMC) são os seguintes: 1) o MMC é mais comum entre pessoas que trabalham em áreas abrigadas do que entre aquelas que trabalham ao ar livre; 2) nas gerações mais jovens, surgiram mais casos de MMC por unidade de área de pele em áreas parcialmente cobertas (tronco e pernas) do que no rosto e no pescoço; e 3) os MMCs muitas vezes surgem em áreas praticamente sem exposição (solas dos pés, palmas das mãos, dentro do globo ocular).

No entanto, o estudo do PNAS sugere que uma "fração significativa" dos melanomas malignos pode ser causada pela exposição ao sol.

Deixando de lado a causa, porém, o estudo do PNAS obteve alguns dados avançados sobre as taxas de sobrevivência ao câncer. Se os seus níveis de vitamina D são altos, você tem uma probabilidade aproximadamente 30% maior de sobreviver ao câncer de próstata, mama, cólon e pulmão, bem como a linfomas e até mesmo melanomas, relata o estudo. "Outros pesquisadores encontraram resultados comparáveis. Esses dados defendem um papel positivo da vitamina D induzida pelo sol no prognóstico do câncer, ou que uma boa reserva de vitamina D é vantajosa quando combinada a terapias de câncer padrão."

Na época em que a pesquisa foi realizada, os reguladores acreditavam que o limite máximo seguro para a ingestão de suplemento de vitamina D era de 200 unidades internacionais por dia. Enquanto o corpo humano tornou-se extremamente eficiente na conversão de luz solar em vitamina D sem qualquer efeito tóxico, a ingestão em excesso de vitamina D por meio dos alimentos havia se mostrado prejudicial no passado.

O estudo de Moan levantou um dilema porque concluiu que os níveis de vitamina D no sangue necessários para ajudar na proteção contra o câncer eram muito mais elevados do que era possível alcançar em 2008 ingerindo o suplemento máximo recomendado de 200 UI por dia em forma de pílula. A única opção parecia ser a luz solar como fonte de vitamina D saudável, o que colocou Moan em confronto direto com a comunidade de pesquisa do câncer de pele. Isso, porém, não o impediu de afirmar o óbvio:

> Assim, podemos concluir que (...) o sol é uma importante fonte de vitamina D (...) Até agora, os dados epidemiológicos para o câncer argumentam a favor de um papel positivo geral da vitamina D induzida pelo sol. A exposição moderadamente gradativa ao sol pode trazer mais benefícios que efeitos adversos, mesmo em relação à taxa total de mortalidade por câncer.

Para entender por que isso pode ser real, você primeiro precisa entender um pouco sobre a vitamina D. Ignore algumas das palavras longas e acompanhe a breve descrição que se segue: quando os raios UVB do sol atingem nossa pele, eles desencadeiam uma reação química pré-programada em nosso DNA. Os dermatologistas chamam o processo de "danos no DNA", em uma tentativa de assustar as pessoas, mas é totalmente natural e tem sido parte do nosso ciclo de vida desde o início da humanidade. O produto químico na pele que reage à luz solar é chamado *7-Dehydrocholesterol*. Como o nome sugere, é um tipo de colesterol. Sem ele, a reação não poderia ocorrer.

O *7-Dehydrocholesterol* é transformado pelo UV e pela energia térmica em uma substância química que chamamos de vitamina D3, ou colecalciferol. Essa substância química é então transportada através da corrente sanguínea para o fígado, onde é "hidroxilada" em 25(OH)D (também conhecido como calcidiol) – a variante real da vitamina D que é medida nos níveis séricos do sangue.

O 25(OH)D é, em seguida, decomposto pelo rim e convertido numa forma mais conhecida como 1,25(OH)$_2$D (calcitriol), que é a variante usada para regular a absorção de cálcio no corpo e executar uma série de funções anteriormente desconhecidas.

"O 1,25(OH)$_2$D age como um interruptor molecular", descreve o pesquisador da vitamina D John Cannell, "ativando genes-alvo e receptores em todo o corpo". Uma das descobertas recentes, por exemplo, é que o nosso sistema imunológico o utiliza para a fabricação de antibióticos humanos naturais dentro de nossos corpos. Se você tem baixa vitamina D, o seu sistema imunológico pode não ser capaz de fabricar seus próprios antibióticos, e as implicações disso são previsíveis[4].

Mas então uma reviravolta aconteceu. Até poucos anos atrás, achava-se que o 1,25(OH)$_2$D só podia ser fabricado pelos rins e apenas para efeitos do bom desenvolvimento do sistema ósseo. Descobriu-se, porém, que a maioria dos órgãos do corpo tem a capacidade de gerar 1,25(OH)$_2$D para seus próprios fins. O cérebro, o coração, o estômago, os pulmões são apenas alguns dos sistemas anteriormente desconhecidos para o processamento de vitamina D independente dos rins. Isso não ocorre com nenhuma outra vitamina.

O argumento de que a vitamina D tinha poderes especiais ganhou peso a partir de outro estudo, um estudo randomizado controlado sobre a vitamina D ao longo de um período de quatro anos que constatou uma diminuição dramática nos casos de câncer entre os participantes que receberam 1.110 UI (Unidades Internacionais) de vitamina D3 por dia, em comparação com aqueles tratados com placebo.

O estudo acompanhou 403 mulheres do estado de Nebraska, nos EUA, as quais foram monitoradas contra um grupo de controle de 206 mulheres em tratamento com placebo. Após o estudo, as usuárias de vitamina D tiveram incidência de câncer 77% menor do que as usuárias de placebo[5].

Enquanto o debate sobre a suplementação *versus* banhos de sol, ou ainda uma combinação de ambos, está em curso, a mensagem de que a vitamina D parece reduzir o risco de câncer está clara.

É claro que deve haver um equilíbrio na relação custo-benefício entre o aumento da exposição ao sol e, consequentemente, o aumento do risco de câncer de pele. Mas os números contam a história: em 2004, 7.900 americanos morreram de melanoma. Por outro lado, utilizando os dados acima, acredita-se que 45 mil americanos que morreram de câncer poderiam ter sobrevivido ou evitado a doença com uma maior exposição ao sol. Em outras palavras, você tem nove vezes mais probabilidades de morrer de um câncer causado ou agravado pela falta de luz solar do que de um câncer de pele causado por ela.

Um relatório de 2009 entregue ao governo canadense estima que, se os níveis de vitamina D fossem aumentados, 37 mil pessoas deixariam de morrer prematuramente no Canadá a cada ano como resultado de uma doença evitável, economizando 14 bilhões de dólares dos contribuintes anualmente e poupando inúmeras famílias do sofrimento[6].

No entanto, o grau de deficiência de vitamina D é realmente enorme. Um sinal revelador é o gigantesco aumento do número de casos de raquitismo – uma doença que se imaginava superada no início do século 20 em todo o mundo. Caracterizada por deformidades nos ossos, também pode causar convulsões em crianças e bebês. Ainda hoje, serviços de urgência hospitalar em Londres, Nova York, Sydney e Auckland atendem rotineiramente casos de crianças com raquitismo.

Níveis baixos de vitamina D são a causa. Um estudo de pacientes internados no Massachusetts General Hospital de Boston detectou que 57% tinham níveis deficientes de vitamina D no sangue[7]; 31% estão na mesma situação[8]. Mesmo em Melbourne e Adelaide no fim do verão, 42% das mulheres e 27% dos homens apresentaram deficiência de vitamina D. Com o sol intenso do verão australiano, isso não era de se esperar.

Como o pesquisador Cedric Garland anunciou ao mundo, convencer as pessoas a gastar quinze minutos por dia ao sol sem protetor solar poderia salvar dez vidas do câncer para cada morte por melanoma causada pelo aumento da exposição ao sol.

Foi esse tipo de informação que fez com que médicos em todo o mundo parassem para pensar: a recomendação para que as pessoas se protegessem do sol era a mensagem errada? O pêndulo da cautela havia oscilado demais, a ponto de causar mais casos de câncer em outras áreas? Qual era exatamente a ligação entre a vitamina D e a mortalidade por câncer? Por que o melanoma não era tão fatal quanto na Nova Zelândia e na Austrália, apesar da forte radiação UV no mundo?

Será que a vitamina do sol detinha segredos essenciais à vida, segredos que só agora estavam sendo descobertos?

A evolução do Alzheimer

"Nossa hipótese é de que bons níveis de vitamina D podem prevenir ou atenuar a doença."

- Professor associado de Geriatria Robert Przybelski, 2007.

Um dos primeiros estudos envolveu a deterioração mental da doença de Alzheimer. É uma doença chocante, extremamente debilitante, para a qual não existe cura. Uma vez diagnosticada, as vítimas geralmente morrem em um período de sete anos. Apenas pouco mais de 2% ainda se encontram vivos após quatorze anos.

Cerca de uma em cada cinquenta pessoas com idade até 64 anos sofre do mal de Alzheimer, saltando para cerca de uma em cada cinco pessoas na faixa etária de 75 a 84 anos, e quase uma em cada duas pessoas com idade de 85 anos ou mais. Em outras palavras, se você conseguiu acumular seus anos de vida dentro da escala de pontuação, há quase 50% de chance de que o Alzheimer o alcance.

A doença degenera a mente. Ela começa lentamente, provocando um pouco de incerteza sobre tudo no início e, gradualmente, vai roubando a memória de curto e médio prazo, até chegar ao estágio final, em que a pessoa já está falando com fadas, babando e precisando de cuidados médicos e higiênicos 24 horas por dia.

O espectro do mal de Alzheimer assombra tanto os *baby boomers* e a geração X que é, sem dúvida, uma das razões por trás das reivindicações de eutanásia voluntária. "Mate-me se eu desenvolver a doença de Alzheimer", eles suplicam. Bem, pode haver uma opção melhor.

Quando um pequeno estudo observacional realizado por pesquisadores da Universidade de Wisconsin foi divulgado *online* em janeiro de 2007, mostrando, pela primeira vez, uma associação significativa entre baixos níveis de vitamina D no sangue em pacientes com Alzheimer e o mau desempenho em um teste cognitivo, as pessoas começaram a prestar atenção.

O estudo foi solicitado depois que membros da família de um paciente com Alzheimer relataram o modo como ele passara a agir após algumas semanas de tratamento com grandes doses de vitamina D, disse o principal autor do estudo, Robert Przybelski, um professor de medicina geriátrica da Universidade de Wisconsin.

"Nossa hipótese é de que bons níveis de vitamina D podem evitar ou atenuar a doença", disse Przybelski[1].

O estudo observou que os neurônios, como muitas outras células, têm receptores de vitamina D. Ele afirma que a vitamina D pode melhorar os níveis de substâncias químicas cerebrais importantes e que também pode ajudar a proteger células do cérebro.

Isso foi em 2007. Rapidamente, os pesquisadores avançaram nas suposições. Poderia a vitamina D não só melhorar as mentes dos doentes de Alzheimer, mas talvez até mesmo ajudar a evitar a doença?

Um estudo realizado em Boston e publicado em 2008 analisou mais de mil idosos com idades entre 65 e 99 anos, avaliando seu desempenho em testes de função cognitiva mental em relação aos seus níveis séricos de vitamina D no sangue.

Para entender muitas das pesquisas apresentadas neste livro, você vai precisar se familiarizar com diferentes descrições científicas da mesma coisa. Nesse caso, os níveis séricos de vitamina D no sangue, geralmente agrupados sob o nome "25(OH)D", são medidos em relação ao seu volume no sangue.

Os cientistas, no entanto, usam dois sistemas de medição diferentes, e você vai encontrar estudos que usam um ou o outro. Um é expresso como nanogramas por mililitro ou "ng/ml". A outra maneira de expressar a mesma coisa é nanomoles por litro, "nmol/L", mas os números não são idênticos. Multiplique o resultado dado por ng/ml por 2,5 e você obterá o nmol. Para facilitar, defino a seguir as duas escalas diferentes de medição de vitamina D no sangue. Volte a essa tabela de conversão para referência futura, se você precisar[2]:

Nível ideal de vitamina D	125 – 200 nmol/L	50 – 80 ng/ml
Nível insuficiente[3]	<75 nmol/L	<30 ng/ml
Nível deficiente	<50 nmol/L	<20 ng/ml
Nível seriamente deficiente	<25 nmol/L	<10 ng/ml

É interessante observar que 50 ng/ml é o nível natural de vitamina D frequentemente encontrado no sangue de pessoas que trabalham em áreas externas ao longo do verão, como os seres humanos têm feito há milênios. Sabendo disso, voltamos para o estudo de Boston.

Cerca de 65% dos idosos tinham níveis de 25(OH)D abaixo de 50 nmol/L, o que os colocava na categoria deficiente. Cerca de 18% foram listados como seriamente deficientes, com menos do que 25 nmol/L.

Ajustes na análise foram feitos para idade, sexo, raça, índice de massa corporal, educação, área de residência, função renal, sazonalidade, atividade física e uso de álcool.

Mesmo depois de tudo isso, os mais velhos com níveis mais altos de vitamina D obtiveram pontuações significativamente mais altas nos testes, incluindo testes com tracejados, símbolos de dígitos, raciocínio matriz e desenho de blocos.

Os analistas ainda foram mais fundo, fazendo ajustes para possíveis interferências de outros hormônios no sistema, de complexo B ou do uso de multivitaminas. Apesar de tudo isso, as pessoas com níveis mais altos de vitamina D ainda obtiveram os melhores resultados[4].

Um estudo europeu com homens saudáveis com idade acima dos 40 anos encontrou uma ligação semelhante entre baixos níveis de vitamina D e habilidades mentais mais lentas.

Nesse estudo de base populacional de homens europeus com idade ≥ 40 anos, observou-se uma associação significativa entre o processamento cerebral de informações mais lento (como avaliado pelo teste de DSST) e níveis mais baixos de 25(OH)D. A associação foi maior entre aqueles com um nível de 25(OH)D inferior a 35 nmol/L[5].

Embora a magnitude da associação entre o 25(OH)D e a velocidade de processamento seja comparativamente pequena, se a função cognitiva pode de fato ser melhorada por meio de uma simples intervenção, tal como a suplementação de vitamina D, isso terá implicações potencialmente importantes para a saúde da população.

Em outras palavras, se quiser preservar o seu juízo sobre você mesmo, a vitamina D é crucial.

Um estudo de 2011 na Turquia, com 125 pacientes geriátricos idosos que faziam caminhadas sob o sol no verão, mostrou que eles eram 73% mais capazes de se sair bem em testes cognitivos[6].

Em maio de 2011, os pesquisadores perceberam que estavam no caminho certo.

"Há evidências de que a grande maioria dos pacientes hospitalizados tem deficiência de vitamina D. A deficiência de vitamina D é uma pandemia ainda indevidamente reconhecida[7]..."

A falta de vitamina D, eles alertaram, foi se tornando um dos mais graves problemas em todo o sistema de saúde.

O que os cientistas descobriram é que o corpo humano é cheio do que nós sabemos agora que são "receptores de vitamina D", ou RVD. Eles são como docas de cargas nas quais o corpo é projetado para receber a vitamina D, docas que nós evidentemente esquecemos como usar no último século. Quanto menos vitamina conseguimos obter, mais nossos corpos enfraquecem e maior é o custo de tratar-nos no sistema de saúde.

Os benefícios da vitamina D, conforme listados por Youssef e sua equipe, incluíram efeitos antimicrobianos e de imunomodulação, que são os termos técnicos para eliminação de germes e para estimulação do sistema imunológico, bem como benefícios relacionados a saúde cardiovascular, doenças autoimunes, câncer e metabolismo. A deficiência de vitamina D aumenta a mortalidade [diminui a expectativa de vida], ao passo que até mesmo uma pequena quantidade de vitamina D pode aumentar a longevidade.

Em um estudo publicado em março de 2012, os registros de saúde de 498 mulheres idosas foram examinados na cidade francesa de Toulouse para determinar se seus níveis de vitamina D poderiam ser um prognóstico preciso do quão rapidamente elas sucumbiriam à doença de Alzheimer ou, conforme descrito, "um preditor independente do início da demência dentro de sete anos entre as mulheres com idade de 75 anos ou mais"[8].

O grupo de amostra foi avaliado ao final de sete anos e dividido em três subgrupos: as que não apresentavam demência; as que haviam desenvolvido a doença de Alzheimer; e as que apresentavam outras formas de demência. Elas haviam sido testadas e questionadas no início do estudo de sete anos, e suas pontuações (descritas na literatura como "resultados de linha de base") haviam sido registradas.

Das cerca de 500 mulheres, 70 desenvolveram Alzheimer até o final do período do estudo, e esse grupo apresentou os menores níveis de vitamina D.

Os 20% de mulheres que apresentaram os níveis de vitamina D mais elevados tiveram um risco 77% menor de desenvolver Alzheimer durante os sete anos em comparação com os 80% de mulheres com níveis inferiores de vitamina D, o que levou a uma conclusão inegável:

"maior ingestão de vitamina D está associada a um menor risco de desenvolver a doença de Alzheimer em mulheres mais velhas".

A atenção se voltou para as perguntas "como" e "por quê". O que há na vitamina D que auxilia na defesa contra uma das mais temidas doenças incuráveis conhecidas pelo homem? Em abril de 2012, uma equipe britânica da Universidade de Exeter relatou[9]:

> O papel da vitamina D na saúde óssea é bem estabelecido, mas resultados mais recentes também ligam a deficiência de vitamina D a uma série de condições não ósseas, como doenças cardiovasculares, câncer, acidente vascular cerebral e doenças metabólicas, incluindo diabetes.
>
> Prejuízo cognitivo e demência devem agora ser acrescentados a essa lista. Receptores de vitamina D [RVDs] são comuns no tecido cerebral, e a forma biologicamente ativa da vitamina D, 1,25(OH)2D3, tem mostrado efeitos protetores, incluindo o apuramento das placas amiloides, uma característica da doença de Alzheimer.

Observando que "o risco de comprometimento cognitivo" foi "quatro vezes maior" em pessoas com níveis de vitamina D abaixo de 25 nmol/L, quando comparadas com aquelas com níveis mínimos adequados de 75 nmol/L, a principal autora do estudo, Maya Soni, prossegue fazendo a ligação do efeito da vitamina D sobre a demência com o fato aparentemente relacionado de que pessoas com baixos níveis também estão mais propensas a sofrer de hemorragia cerebral grave e "acidente vascular cerebral fatal".

O "apuramento das placas amiloides, uma característica da doença de Alzheimer", é agora um dos pontos focais para os pesquisadores. O parágrafo seguinte é um pouco técnico, mas, devido às suas chances de desenvolver a doença de Alzheimer e se transformar em um vegetal, o que se segue pode ser muito importante para você.

Um estudo recentemente publicado no *Journal of Alzheimer's* (Jornal do Alzheimer) relata que a vitamina D não apenas neutraliza, como também "recupera" a função danificada do cérebro:

> A liberação do cérebro das placas amiloide-beta (A ß42) por células inatas do sistema imunológico é necessária para o funcionamento normal dele. A fagocitose [alimentação] do solúvel A ß42 pelos macrófagos da doença de Alzheimer (DA) é defeituosa, recuperada em todos os pacientes com DA <tipo I e tipo II> pela 1∂, 25(OH)2 – vitamina D3 (1,25D3) e bloqueada pelo receptor de vitamina D nuclear [RVD][10]...

Eu poderia continuar, mas está claro que você entendeu: "os resultados fornecem evidências de que a ativação da 1,25D3 de sinalização RVD dependente genômica e não genômica trabalham em conjunto para recuperar a função imune inata desregulada na doença de Alzheimer".

Um outro estudo revelou que uma falha genética em um dos principais receptores de vitamina D do cérebro está associada com um risco mais elevado de desenvolver a doença de Alzheimer. "Nós fornecemos tanto evidências estatísticas quanto dados funcionais que sugerem que os RVDs (Receptores de Vitamina D) conferem risco genético para a DA (Doença de Alzheimer). Nossos resultados são consistentes com estudos epidemiológicos que sugerem que a insuficiência de vitamina D aumenta o risco de desenvolvimento da doença de Alzheimer".[11]

Se você quiser manter o seu relógio mental funcionando e reduzir os riscos de Alzheimer nos próximos anos, parece que a vitamina D pode ser o ingrediente de que você precisa. Mas não são apenas as pessoas de meia-idade ou idosas que estão em risco por deficiência de vitamina D.

Transtornos do espectro autista

"O aparente aumento na prevalência de autismo nos últimos vinte anos corresponde ao aumento da orientação médica para evitar o sol."

- Dr. John Cannell, Conselho da Vitamina D, 2008.

Vinte e cinco anos atrás, sua chance de dar à luz a uma criança autista estava em torno de 1:1800. Hoje saltou para 1:60. Durante muito tempo, os pesquisadores suspeitaram que a culpada era a vacinação, em particular a vacina tríplice contra o sarampo, a caxumba e a rubéola (MMR), introduzida no mundo todo na década de 80. No entanto, estudos posteriores não conseguiram encontrar ligação conclusiva com a vacina.

Algo, no entanto, deve ter acontecido para gerar uma taxa de autismo tão rapidamente crescente ao longo desse tempo, e esse "algo" deve ser comum à nossa civilização, como a vacinação. Ou talvez como as campanhas de proteção contra os raios solares.

"O aparente aumento na prevalência de autismo nos últimos vinte anos corresponde ao aumento da orientação médica para evitar o sol", escreveu o médico e psiquiatra da Califórnia John Cannell, em um estudo de 2008[1], conselho que provavelmente tem reduzido os níveis de vitamina D e, teoricamente, reduzido grandemente os níveis de vitamina D ativa (calcitriol) nos cérebros em desenvolvimento.

Testes em animais têm repetidamente demonstrado que a deficiência grave de vitamina D durante a gestação desregula dezenas de proteínas envolvidas no desenvolvimento do cérebro e leva ao aumento do tamanho do cérebro e dos ventrículos em filhotes de ratos, anormalidades semelhantes às encontradas em crianças autistas.

Crianças com raquitismo causado por deficiência de vitamina D apresentam vários indicadores de autismo que, aparentemente, desaparecem com um tratamento de alta dosagem de vitamina D.

Como o estudo do Alzheimer mostrado no capítulo anterior, o trabalho de Cannell abalou o universo do autismo. Em todo o mundo ocidental, a prevenção contra os raios solares tem sido uma, se não a principal, mensagem de saúde pública das últimas duas décadas. Embora a correlação não prove automaticamente a causalidade, é inegável que a rápida aceitação da indicação para evitar o sol, especialmente por mulheres em idade fértil, coincide com a rápida ascensão do autismo.

A hipótese era simples: poderia a falta de exposição à vitamina D durante a gravidez privar o cérebro em desenvolvimento de um bebê de um contributo essencial para seus receptores RVD? Para os pesquisadores, havia crescente evidência de que esse poderia ser exatamente o caso.

Em primeiro lugar, eles descobriram que as taxas de autismo eram consideravelmente menores em populações que consomem maior quantidade de peixes oleosos – uma fonte de vitamina D – em suas dietas habituais. Em Manhattan, Londres, Toronto, Sydney ou Auckland, peixes oleosos não são um item regular para as famílias, mas em muitas partes mais selvagens do mundo, sim.

"O consumo de peixe rico em vitamina D durante a gravidez diminui os sintomas autistas na prole", observa Cannell:

> Surpreendentemente, o alto consumo materno de frutos do mar, do tipo conhecido por estar contaminado com mercúrio, foi associado com menos, não mais, indicadores de autismo na prole. Baixa ingestão materna de frutos do mar durante a gravidez foi associada

com baixo quociente de inteligência verbal, resultados abaixo dos ideais na pontuação para comportamento pró-social, coordenação motora fina, comunicação e desenvolvimento social. Enquanto a presença de ômega-3 e mercúrio no peixe é bem conhecida, menos conhecido é o fato de que o peixe é um dos poucos alimentos com quantidades significativas de vitamina D, que protege o genoma de danos por toxinas.[2]

Mas havia outras pistas. O autismo está mais presente quanto mais para o norte ou para o sul dos trópicos você vá. É mais comum em áreas urbanas, ou naquelas com céus nublados. Em suma, a distribuição do autismo em todo o planeta parecia combinar com os padrões de câncer, aludidos no primeiro capítulo, que os pesquisadores acreditavam agora estarem relacionados à vitamina D.

Problemas de saúde relacionados à deficiência de vitamina D são mais comuns em pessoas de pele escura porque seus níveis de vitamina D são menores no sol mais fraco das regiões temperadas. Adivinhem? "O autismo é mais comum em pessoas de pele escura", diz Cannell, que chegou a uma conclusão chocante sobre o que está causando o autismo:

> A deficiência generalizada de vitamina D durante a gestação e/ou na infância precoce pode explicar tanto o autismo genético quanto o epidemiológico [prevalência e disseminação]. Se assim for, a maior parte da doença é iatrogênica [causada pela profissão médica], ou seja, provocada por conselho médico para evitar o sol.

Cannell teoriza que as crianças autistas provavelmente têm uma predisposição genética que as torna vulneráveis à doença (um pouco como o gene alelo defeituoso recentemente descoberto na doença de Alzheimer), que é desencadeada por eventos ambientais, incluindo a falta de vitamina D. Talvez a vitamina D seja o ingrediente essencial que está faltando no desenvolvimento do cérebro; os RVDs do cérebro de uma criança esperam por um afluxo de vitamina D que nunca chega, portanto, a reação química final, necessária para manter seu cérebro a salvo do risco de autismo, não ocorre.

Isso, diz ele, explicaria a porção hereditária do autismo.

A deficiência de vitamina D, diz Cannell, é um fator de risco primordial para desordens do desenvolvimento neurológico porque a vitamina D é um hormônio que:

- Funciona como um neuroesteroide;
- É um potente regulador positivo do fator de crescimento neural;
- Encontra-se em uma grande variedade de tecidos cerebrais muito cedo na embriogênese;
- Oferece neuroproteção, efeitos antiepilépticos e imunomodulação [controle do sistema imunológico].

Mas e o fato de que muitas gestantes, em todo o mundo, tomam um multivitamínico diário que contém vitamina D? Isso comprova que as mães e os bebês deveriam estar recebendo o suficiente?

Na maior parte das últimas três décadas, a recomendação de ingestão diária de vitamina D tem sido de apenas 200 UI (Unidades Internacionais) por dia. Na verdade, essa ainda é a atual recomendação para as crianças na Nova Zelândia. Esse valor é tido como "adequado" pela Sociedade do Câncer e pelo Ministério da Saúde[3]. No entanto, em um duplo estudo randomizado controlado envolvendo crianças autistas, uma dose diária de 300 UI não foi capaz de elevar seus níveis séricos sanguíneos a um nível nem mesmo próximo do adequado, levando os autores do estudo a concluir: "Parece que níveis muito mais altos de ingestão de vitamina D são necessários para afetar os níveis sanguíneos"[4].

Correndo o risco de explicar o óbvio, se as autoridades de saúde estão tão distantes de compreender a deficiência de vitamina D e nem sequer sabem de quanto de vitamina D o público realmente precisa, pode o público confiar em suas afirmações? E, para responder à pergunta anterior, se os suplementos para gestantes das últimas duas décadas têm incluído apenas algumas poucas centenas de unidades de vitamina D, as mães podem ter apenas desperdiçado grandes esforços.

John Cannell defende o mesmo ponto, contrastando as pequenas quantidades de vitamina D presentes nos suplementos para gestantes (a opção artificial) com os montantes gerados quando uma mulher grávida toma sol (a opção natural ao longo da história):

> Grandes populações de mulheres grávidas colocando pequenas quantidades de vitamina D em suas bocas – sob a forma de vitaminas pré-natais –, ao invés de gerar grandes quantidades através de suas peles, são uma novidade na história da humanidade e, portanto, no processo de desenvolvimento do cérebro humano.

Em outras palavras, é um experimento nunca testado.

> A produção de vitamina D pela pele é extremamente rápida e extraordinariamente eficaz, ultrapassando fácil e largamente as fontes alimentares. Quando adultos de pele clara tomam sol no verão, durante vinte minutos, eles recebem cerca de 20 mil UI de vitamina D na sua circulação sistêmica dentro de 24 horas.

Mesmo quando o suplemento de vitamina D em multivitaminas pré-natais foi impulsionado a 400 UI, Cannell manteve-se cético[5]:

> Uma avaliação de 2008 detalhou o devastador efeito que a deficiência gestacional de vitamina D causa no desenvolvimento do cérebro de mamíferos. Infelizmente, a minúscula dosagem de 10 µg (400 UI) encontrada nas vitaminas pré-natais é praticamente irrelevante na prevenção da atual epidemia de deficiência de vitamina D gestacional[6]. Por essa razão, em 2007, a Sociedade Pediátrica Canadense alertou as mulheres grávidas de que elas podem necessitar não de

400 UI/dia, mas de 2.000 UI/dia ou mais para prevenir a deficiência de vitamina D gestacional[7].

Desde a primeira vez que Cannell publicou suas suspeitas de que a campanha de proteção contra raios solares poderia ser diretamente responsável pelo autismo, as evidências têm contribuído para confirmar essa suspeita.

Um estudo realizado na Califórnia descobriu que mulheres grávidas cujo primeiro trimestre se deu nos meses de inverno tinham maior risco de ter uma criança autista[8].

Na Suécia, mães imigrantes da Somália têm sido objeto de dois grandes estudos recentemente. Um descobriu que mães negras somalis são 630% mais propensas a darem à luz a uma criança autista na Suécia do que as suecas brancas, e que mães de pele escura da Ásia Oriental eram o segundo maior grupo de risco, com 240%[9]; o segundo estudo descobriu que mães negras africanas tinham cinco vezes mais chances de ter filhos autistas. Em todos os casos, as mães somalianas tinham níveis muito mais baixos de vitamina D, e 80% de suas crianças foram afetadas por algum tipo de déficit de atenção e/ou hiperatividade[10].

Essa ligação com a hiperatividade alertou os pesquisadores, que descobriram que ratos privados de vitamina D durante o desenvolvimento do cérebro se tornam hiperativos[11]. Essa notícia isolada já levanta questões sobre se a explosão de TDAH (Transtorno do Déficit de Atenção com Hiperatividade) ao longo dos últimos vinte anos também está relacionada com a falta de exposição ao sol.

Um terceiro estudo, examinando as taxas de autismo entre mães imigrantes de pele escura, encontrou uma ligação "altamente significativa" entre a etnia negra e o autismo. "O risco também foi muito significativo para o autismo associado com retardo mental. Esses resultados são consistentes com a hipótese de insuficiência de vitamina D materna."[12]

O estudo pediu por ensaios randomizados controlados urgentes para documentar "o efeito da insuficiência de vitamina D materna durante a gravidez sobre o cérebro fetal e a janela de vulnerabilidade. Essa avaliação salienta a importância de monitorar os níveis de vitamina D em mulheres grávidas, especialmente aquelas que são imigrantes de pele escura ou coberta".

No entanto, as imigrantes somalis na Europa não são as únicas a estar dando à luz crianças autistas.

"Três de quatro estudos recentes norte-americanos descobriram uma maior incidência de autismo em crianças negras, por vezes sensivelmente mais elevada", John Cannell revelou. "Como Fernell *et al.* reportaram, os imigrantes somalis na Suécia chamam o autismo de 'a doença sueca', e os imigrantes somalis em Minnesota o chamam de 'a doença americana', mas, na Somália equatorial, o autismo não tem nome."[13]

O *site* da comunidade autista somali nos Estados Unidos traz uma mensagem pungente na primeira página: "Acabei de ver o seu *site* e gostaria de agradecer-lhe. Sou uma assistente social da Somália na Nova Zelândia e vejo muitas crianças somalis nascidas aqui que também têm autismo. Obrigada por ser corajoso aos olhos de muitos"[14].

Lembre-se, a premissa principal é simples: pessoas de pele escura são projetadas para viver sob o sol tropical; suas peles são demasiadamente escuras para processar o suficiente de vitamina D em climas mais frios, especialmente quando véus religiosos ou culturais são adicionados à mistura[15].

Dando peso à teoria da vitamina D, um estudo sobre a prevalência do autismo no ensolarado Omã, na Arábia, encontrou 1 caso a cada 7.000 crianças. Não 1 em 60[16]. Na ensolarada Israel, a incidência relatada é de 1 em 5.000[17]. Curiosamente, antes das campanhas de prevenção ao sol tomarem conta dos anos 80, casos de autismo diagnosticados em Israel eram tão baixos quanto um em meio milhão. No frio, no norte do Japão, por outro lado, uma em cada 62 crianças em Yokohama foram identificadas por estar sofrendo de transtorno do espectro autista[18].

"Outro dos mistérios do autismo", diz Cannell, "é o aparente aumento da incidência de autismo em filhos de pais mais ricos, com ensino superior, especialmente mulheres.

Se a teoria da vitamina D for verdadeira, o autismo deveria ser mais comum entre mães mais ricas e bem-educadas, que são mais propensas a evitar a exposição ao sol e a utilizar protetor solar".

Na verdade, isso é exatamente o que os pesquisadores descobriram[19].

Estudos após estudos estão agora confirmando uma ligação direta entre as mães que seguem os conselhos para se proteger do sol e um risco muito maior de ter filhos autistas. Um exemplo é este de 2012:

> A deficiência de vitamina D – durante a gravidez ou infância – pode ser um gatilho ambiental para ASD (transtorno do espectro autista) em indivíduos geneticamente predispostos ao amplo fenótipo do autismo. Com base nos resultados da presente avaliação, defendemos o reconhecimento desse possivelmente importante papel da vitamina D na ASD e a investigação urgente em campo[20].

Ou:

> O aumento da incidência de insuficiência de vitamina D é provavelmente também associado ao aumento do risco de perturbações do espectro do autismo como relatado nesse grupo, apoiando, assim, a hipótese de que a deficiência gestacional de vitamina D é um gatilho ambiental do autismo[21].

E sobre a doença milenar da infância, o raquitismo, conhecido por ser causado por deficiência grave de vitamina D?

"Se quantidades adequadas de vitamina D podem prevenir o autismo", especula Cannell, "seria de se esperar que as crianças com raquitismo tenham um risco aumentado de autismo."

Enquanto a ciência moderna ainda não efetuou essa comparação, Cannell encontrou dois trabalhos científicos antigos, anteriores a 1943, quando o autismo foi reconhecido e definido pela primeira vez, que descrevem sintomas similares de autismo em crianças com raquitismo: "Ambos os documentos descrevem desatenção, mente débil, lentidão mental, ausência de resposta e atrasos de desenvolvimento. Ainda mais intrigante, ambos os trabalhos relatam que a condição mental no raquitismo melhorou com vitamina D"[22].

Em 2010, Cannell lançou o desafio às autoridades de saúde: "Provem que estou errado". Até o momento, não surgiram evidências contrárias.

"A vitamina D induz mais de 3 mil genes, muitos dos quais têm um papel no desenvolvimento fetal"[23], escreveram dois médicos da Universidade de Harvard para o New England Journal of Medicine[24].

> A vitamina D pode ser particularmente relevante para a 'teoria desenvolvimentista da origem' descrita por Barker *et al.*, em que fatores ambientais, tais como a vitamina D, podem influenciar a programação genômica do desenvolvimento fetal e, consequentemente, o risco subsequente de doenças tanto na vida infantil quanto adulta."

Em 1989, a Associação Médica Americana publicou um alerta às mães sobre o elevado risco de deixar seus filhos expostos à luz solar: "Mantenham as crianças longe do sol, tanto quanto for possível". Os anos que se seguiram registraram um grande aumento no número de crianças diagnosticadas com transtorno do espectro autista, déficit de atenção e hiperatividade. Problemas comportamentais dispararam. Poderiam estar todos ligados? Cannell responde:

> Se essa teoria é verdadeira, o caminho para a prevenção eficaz – e, talvez, [até mesmo] para um tratamento eficaz, administrando doses fisiológicas adequadas de vitamina D – é tão simples, tão seguro,

tão barato, tão prontamente disponível e tão fácil, que desafia a imaginação.

Dezessete especialistas em vitamina D declararam recentemente: "Em nossa opinião, as crianças com doenças crônicas, como autismo, diabetes e/ou infecções frequentes, devem ter maior exposição aos raios solares ou ser suplementadas com doses adequadas de vitamina D3 para manter os níveis da sua 25(OH)D dentro do intervalo de referência (65 ng/ml ou 162 nmol/L) – e devem receber essa suplementação anualmente".

Finalmente, se for verdade, um lado mais sombrio da teoria emerge. Em certa medida real, mas ainda desconhecida, o autismo é uma doença iatrogênica, causada por governos, organizações, comitês, jornais e médicos que promulgaram as advertências atuais sobre a exposição ao sol para as mulheres grávidas e crianças pequenas, sem qualquer compreensão da tragédia que geraram.

Se for verdade, as campanhas de proteção contra os raios solares terão sido o mais mortal e mais caro erro de saúde pública na história; terão levado milhões de pessoas a uma vida de autismo e deficiência desnecessários ou, como estamos prestes a descobrir, ainda pior.

Asma e alergias

"Um em cada cinco bebês nasceu com níveis abaixo de 25 nmol/L (10 ng/mL), portanto, seriamente deficientes."

- Estudo do Dr. Carlos Camargo com recém-nascidos na Nova Zelândia, Massachusetts General Hospital, 2011.

A maioria de nós conhece alguém que sofreu com asma ou alergias. Alguns de nós, como pais, presenciamos o chiado no peito e a respiração difícil de nossas crianças e as vimos aspirar as drogas dos inaladores. Cerca de uma em cada oito pessoas lendo isso sofrerá diretamente de asma em algum momento de sua vida[1]. Cerca de uma em cada duzentas vai morrer em decorrência dela[2].

Tem havido um grande número de causas citadas para a asma, de dieta a vacinações. Estudos recentes advertem que até mesmo o paracetamol pode desencadear ataques de asma em crianças. Como você deve ter percebido, há uma possibilidade de que a lista publicada de possíveis causas seja o que poderíamos chamar de "causas finais", ou a gota d'água. A razão pela qual o copo estava cheio, no entanto, pode muito bem ter sido o fracasso em tomar sol.

Assim como existe forte evidência de que a vitamina D no desenvolvimento fetal é essencial para diminuir o risco de distúrbios do espectro autista, parece igualmente provável que a vitamina D desempenhe o mesmo papel na preparação dos sistemas imunológicos e no desenvolvimento de órgãos fetais.

Nós vimos que, ao contrário da maioria das vitaminas, a vitamina D (que na verdade é uma molécula secosteroide, e não uma verdadeira vitamina) tem áreas de recepção em todo o corpo humano, conhecidos como receptores de vitamina D, ou RVDs. Além disso, esses compartimentos de encaixe e vias foram mapeados para mais de 3 mil genes no corpo humano, com novos RVDs sendo descobertos o tempo todo. O corpo humano anseia por vitamina D, por isso faz sentido que esses 3 mil genes possam começar a agir caso não obtenham o que esperam.

É difícil imaginar que há quinze anos os cientistas não sabiam praticamente nada sobre isso. Enquanto seus olhos estão digitalizando essa frase, em algum lugar do globo terrestre grupos de pesquisa estão se esforçando 24 horas por dia tentando descobrir o quão significativa a vitamina D pode ser para a saúde humana.

No caso da asma, muito.

A Nova Zelândia tem estado na vanguarda de alguns desses trabalhos. Na década de 60, a Nova Zelândia sofreu uma explosão de mortes por asma, o que ocorreu novamente na década de 80. Como um produtor agrícola cuja comida e vinhos são consumidos em todo o mundo, o país foi pioneiro em técnicas de alta tecnologia agrícolas e de produção. Por necessidade, os avanços foram, por vezes, baseados na tentativa e no erro, até que foram encontradas as formulações adequadas. Uma das áreas onde ocorreu essa experimentação foi na criação de herbicidas e pesticidas.

A gigante empresa norte-americana Dow Chemicals foi um grande fornecedor para a Nova Zelândia e, de fato, ajudou a fabricar os dois componentes-chave do desfolhante da Guerra do Vietnã conhecido como "Agente Laranja" em sua fábrica em New Plymouth, na costa oeste da Nova Zelândia. Um ex-diretor da empresa disse à revista *Investigate*, em 2000, que sua empresa não só havia enviado 2,4,5-T e 2,4-D para serem transformados em Agente Laranja para a Guerra do Vietnã, mas também havia comercializado o mesmo *mix* a agricultores na Nova Zelândia como um potente herbicida[3].

A revista encontrou numerosos casos de defeitos congênitos em crianças nas fazendas, e não é difícil imaginar que um dos produtos químicos mais imorais dos anos 60 encontrou o seu caminho diretamente para os pratos de jantar de todas as crianças da Nova Zelândia. Assim, a explosão na mortalidade por asma coincidente com esse período obscuro não é inteiramente surpreendente.

Além disso, com vastas plantações de pinheiros e terrenos agrícolas criando abundância de pólen, a Nova Zelândia teve razões perfeitamente naturais para o aumento das taxas de asma.

Deixando de lado esses pontos, o que essas epidemias de asma desencadearam, no entanto, foi a inovadora investigação sobre as origens da doença. Mais uma vez, parece que a vitamina D estabelece as bases para o fato de você ou seus filhos serem biologicamente resistentes contra substâncias irritantes.

O mundo, como bem sabemos, está cheio de substâncias irritantes, mas os cientistas estão gradualmente começando a perceber que essas substâncias estão apenas aproveitando fraquezas existentes que não deveriam estar lá.

Todos nós estamos expostos, mas nem todos nós desenvolvemos asma, eczema ou alergias. Assim como algumas pessoas podem fumar diariamente e viver cem anos, muitos de nós estão geneticamente programados para ter problemas se começarem a fumar. O objetivo das campanhas de saúde pública é que elas atendam às necessidades da maioria, ou de uma minoria significativa. Elas não podem atender exceções ocasionais.

No caso da asma, os fatores ambientais parecem ter como alvo certa porcentagem de indivíduos. O gatilho final pode ser mal definido ou diferente em várias vítimas, mas o resultado é o mesmo. No entanto, talvez haja algo que possa prever o risco de desenvolver asma. Em 2010, o professor de medicina da Universidade de Harvard Dr. Carlos Camargo Jr. conduziu uma equipe de pesquisa com foco em uma nova e promissora amostra de dados: sangue do cordão umbilical de 922 recém-nascidos na Nova Zelândia, país com a segunda maior taxa de asma no mundo, atrás apenas do Reino Unido. Camargo e sua equipe queriam testar uma nova hipótese, de que a ingestão materna de vitamina D durante a gravidez reduziria o risco de chiado no peito e asma nas crianças. O sangue do cordão umbilical, segundo eles acreditavam, forneceria a prova definitiva dos níveis reais de vitamina D no momento do nascimento.

O nível médio de vitamina D no sangue foi de apenas 44 nmol/L, ou menos do que 20 ng/ml. Em outras palavras, em 922 bebês nascidos nas cidades de Wellington e Christchurch, Nova Zelândia, nas latitudes 41° e 43°, respectivamente[4], o nível médio de vitamina D estava na zona "deficiente". Um em cada cinco bebês nasceu com níveis inferiores a 25 nmol/L (10 ng/ml), ou seja, "seriamente deficientes".

O que eles encontraram?

Os bebês que nasceram com níveis seriamente deficientes de vitamina D tiveram cerca de 2,4 vezes mais probabilidades de sofrer uma infecção antes da idade de três meses, em comparação com os bebês que tinham níveis acima de 75 nmol/L (30 ng/ml, a faixa mínima adequada). Os bebês mais deficientes apresentaram mais que o dobro de probabilidades de sofrer uma infecção respiratória antes dos três meses de idade[5].

A equipe de pesquisa especulou se recém-nascidos com baixo nível de vitamina D poderiam ser mais suscetíveis a infecções de qualquer tipo, porque a vitamina D é conhecida por estimular a produção de antibióticos naturais no corpo humano, em particular a catelicidina, um peptídeo antimicrobiano que é produzido para proteger as passagens bronquiais como parte do sistema de defesa imunológico[6]. Por definição, baixo nível de vitamina D = baixa imunidade.

"As intervenções para melhorar o nível de vitamina D [na gravidez] podem fornecer uma maneira simples, segura e barata para reduzir as infecções respiratórias que causam mais exacerbações da asma", disseram os pesquisadores.

Segundo suas afirmações, estudos recentes têm mostrado que crianças asmáticas com níveis mais altos de vitamina D sofrem menos ataques graves de asma. Um estudo japonês, por exemplo, constatou que uma suplementação de 1.200 UI de vitamina D ao dia dada a estudantes com histórico de asma resultou em redução de 83% na probabilidade de que eles contraíssem o vírus Influenza A[7].

O baixo nível de vitamina D dos recém-nascidos da Nova Zelândia também acabou por ser um indicador de surtos de chiado no peito por volta dos cinco anos. Crianças com menos vitamina D tinham mais que o dobro de risco de desenvolver chiado até seu quinto aniversário.

Ao anunciar suas conclusões, Camargo e sua equipe relataram que uma em cada cinco crianças "aparentemente saudáveis" da Nova Zelândia começava a vida com níveis de vitamina D abaixo de 10 ng/ml. "Esses baixos níveis foram associados a um risco maior de infecção das vias respiratórias durante os primeiros meses de vida e um risco maior de desenvolver chiado cumulativo em todas as primeiras fases da infância."

A equipe não conseguiu encontrar qualquer relação específica com o surgimento da asma aos cinco anos de idade, mas uma outra, em frente ao mar da Tasmânia, na Austrália, conseguiu.

Em 2011, pesquisadores da *University of Western Australia* fizeram uma descoberta em um estudo com cerca de 2.400 doentes asmáticos com idade inferior a 15 anos. Os níveis séricos de vitamina D foram verificados em 989 crianças de 6 anos de idade e em 1.380 crianças de 14 anos[8].

Depois de coletar os dados para a análise, eles descobriram que baixos níveis de vitamina D com a idade de 6 anos eram um "preditor significativo" de sensibilidade alérgica e do desenvolvimento de asma até a idade de 14 anos: "As crianças, especialmente do sexo masculino, com níveis inadequados de vitamina D estão sujeitas a um maior risco de desenvolver atopia [sensibilidade alérgica] e, subsequentemente, hiper-responsividade brônquica e asma".

Analisando esses resultados da Australásia, o Dr. Scott Weiss, do Laboratório Channing da Universidade de Harvard, escreveu que o estudo Hollams foi o primeiro no mundo a demonstrar uma associação entre os níveis de vitamina D na idade de 6 anos e a asma na idade de 14 e um dos "primeiros usando o nível [real] de vitamina D como biomarcador da exposição à vitamina D[9]". Weiss disse que o estudo de Camargo na Nova Zelândia preenchia os espaços em branco dos primeiros cinco anos de vida, que o estudo Hollams não cobria.

A evidência sobre a asma, observou ele, era forte o suficiente para justificar ensaios clínicos completos da vitamina D como parte do *mix* de inalantes para asmáticos, e esses ensaios estão agora em andamento. Mas ele alertou que, embora o nível mais elevado de vitamina D durante a gravidez pareça reduzir a incidência de asma, ele não a elimina completamente, devendo os estudos esclarecer a questão, pois "algum grau de suplementação pós-natal também será provavelmente necessário para manter a função imune normal em longo prazo".

Em 2012, o emirado árabe de Qatar corroborou os estudos da Australásia sobre a deficiência de vitamina D observando que ela era, de fato, "o maior preditor de asma nas crianças do Catar"[10]. Os pesquisadores descobriram que as crianças com níveis mais baixos eram 482% – quase cinco vezes – mais propensas a sofrer de asma.

Nascer em uma família com baixos níveis de vitamina D também se mostrou um fator de risco para crianças asmáticas – e uma possível evidência dos perigos incorridos quando a prática de evitar o sol torna-se intergeracional.

Em julho de 2012, um estudo com 1.024 crianças americanas asmáticas em um teste aleatório descobriu que aquelas com alto nível de vitamina D obtinham duas vezes mais benefícios para a saúde por meio da sua medicação corticosteroide para a asma do que as que apresentaram baixo nível de vitamina D, o que ilustra que a vitamina reforça o efeito do medicamento[11].

Asma, alergias e problemas respiratórios não são os únicos males contra os quais a vitamina D pode protegê-lo na região do peito.

Câncer de mama

"Altos níveis de vitamina D no diagnóstico precoce do câncer de mama estão correlacionados a um tamanho inferior do tumor e a uma melhor sobrevida global."

- Resultados publicados na revista *Carcinogenesis*, 2012.

A cada ano, mais de 200 mil mulheres nos EUA, 14 mil na Austrália, 22 mil no Canadá, 48 mil no Reino Unido e 2.500 na Nova Zelândia são diagnosticadas com câncer de mama. Cerca de uma em cada cinco vítimas morrem em decorrência da doença ou de complicações relacionadas ao longo do tempo – os números mais recentes, a partir de 2008, revelaram uma taxa de mortalidade global de 458 mil pessoas naquele ano. No mundo ocidental, cerca de uma em cada oito mulheres desenvolverá câncer de mama durante a vida.

Por todas as razões acima expostas e pelo enorme custo financeiro e emocional associado ao câncer, há muitos bons motivos para se agarrar a qualquer coisa que possa reduzir a incidência do câncer de mama ou melhorar as taxas de sobrevivência a ele.

Se você fizer uma busca no Google Acadêmico por frases relacionadas ao câncer de mama e à vitamina D, encontrará mais de 58 mil referências. Os estudos estão literalmente brotando todas as semanas, e não apenas porque a pesquisa sobre a vitamina D se mostrou tão promissora, mas também porque os estudos iniciais eram falhos.

Aqui está um exemplo: em 2008, pesquisadores divulgaram um estudo em que 36 mil mulheres americanas receberam suplemento diário de vitamina D e cálcio, ou um placebo, como parte de uma investigação sobre fraturas ósseas realizada pelo programa de estudos *Iniciativas da Saúde da Mulher*, do Instituto Nacional de Saúde dos EUA. Esse estudo foi importante porque a amostra era grande o suficiente para abranger subconjuntos de mulheres que posteriormente desenvolveram câncer ao longo do período experimental de sete anos.

O estudo – um dos maiores ensaios randomizados já feito – não encontrou nenhuma diferença na ocorrência do câncer de mama invasivo entre aquelas que estavam tomando suplementos de vitamina D e as que estavam sob efeito do placebo[1]. O estudo também procurou por um efeito protetor nas mulheres que desenvolveram câncer colorretal e também não encontrou evidências que pudessem demonstrar algum efeito benéfico[2].

As agências federais de saúde em vários países usaram esse estudo para declarar que "a ciência não estava segura" sobre os benefícios da vitamina D, mas na verdade elas foram vítimas de erro humano. O problema do estudo não era a falta de benefícios da vitamina D, mas o fato de que o suplemento dado às mulheres continha vitamina insuficiente para fazer efeito contra o câncer e/ou a dose não havia sido devidamente ajustada para as mulheres que já estavam tomando vitamina D antes de o estudo começar.

Esses suplementos, no estudo, continham apenas 400 UI de vitamina D3, que os cientistas admitem agora terem o mesmo efeito de um balde de água jogado sobre um incêndio em uma casa. Além disso, em um estudo que se propunha a medir a mudança, seria improvável que ocorresse alguma, se muitas das mulheres já estivessem ingerindo suplementos anteriormente.

Em 2011, os pesquisadores reajustaram a dose para tentar reparar esse erro e descobriram que – apesar da baixa dose de 400 UI – houvera, na verdade, uma mudança:

Nas 15.646 mulheres (43%) que não estavam tomando cálcio ou vitamina D na randomização, [a vitamina D acrescida da dose de cálcio] diminuiu significativamente entre 14% e 20% o risco de câncer de mama, de câncer de mama invasivo e de câncer total e diminuiu não significativamente o risco de câncer colorretal em 17%[3].

Como você verá, a redução do risco de câncer, apesar de ser boa, não foi nem de perto tão eficaz, se comparado, com o que foi conseguido com altas doses de vitamina D3.

Para cobrir a totalidade da pesquisa, seria necessária uma enciclopédia, não um livro. Em vez disso, vamos simplesmente examinar alguns dos estudos mais recentes.

Em maio de 2012, a revista *Carcinogenesis* apresentou um estudo belga que mediu os níveis de vitamina D no sangue de cerca de 1.800 mulheres quando elas foram inicialmente diagnosticadas com câncer de mama e, em seguida, comparou-os aos resultados de medições subsequentes ao longo do curso da doença[4]. Esse não foi um estudo de medição de suplementos, mas de medição dos níveis de vitamina D diretamente no sangue, que, naturalmente, é o ponto final. Você ingere suplementos ou toma banhos de sol a fim de aumentar os níveis de vitamina D no sangue.

As mulheres com os níveis mais altos de vitamina D (acima de 30 ng/ml ou 75 nmol/L), quando diagnosticadas pela primeira vez, conseguiram cortar pela metade seu risco de morrer dentro de cinco anos, em comparação com as mulheres que tinham níveis de vitamina D abaixo de 30 ng/ml. Além disso, ainda vinculado à vitamina D, cada aumento de 10 ng/ml nos níveis diagnosticados deu à respectiva paciente uma redução média de 20% no risco de morte dentro de cinco anos.

Os pesquisadores descobriram que a queda acentuada na taxa de mortalidade permaneceu intacta mesmo depois de considerados outros fatores, como o tamanho do corpo, que poderiam ter influenciado as taxas de sobrevivência.

Outra grande descoberta do estudo foi que as mulheres com níveis de vitamina D mais altos tinham tumores menores e, portanto, mais curáveis. Isso é importante porque mostrou que altos níveis de vitamina D parecem dificultar o crescimento do tumor e retardar a propagação das células cancerosas.

As mulheres com os níveis mais elevados também tiveram períodos mais longos de remissão, embora apenas as mulheres pós-menopáusicas tenham tido esse benefício, em particular. Uma vez que 60% dos casos de câncer de mama ocorrem após a menopausa, isso é altamente relevante. Os pesquisadores suspeitam que o corpo feminino na pós-menopausa usa a vitamina D de maneiras diferentes, como resultado do nível mais baixo de estrogênio. Infelizmente, as mulheres são muito mais propensas à deficiência de vitamina D após a menopausa, tornando a suplementação e a luz solar ainda mais importantes na luta contra o câncer de mama.

Em sua conclusão, os pesquisadores afirmam na *Carcinogenesis* que "altos níveis de vitamina D no momento do diagnóstico precoce do câncer de mama estão correlacionados a um tamanho inferior do tumor e a uma melhor sobrevida global e melhoram o resultado específico do câncer de mama, especialmente em pacientes na pós-menopausa"[5].

Certamente, esse não é o primeiro estudo a constatar que as mulheres têm muito mais chances de vencer o câncer se mantiverem seus níveis de vitamina D elevados. O relato surpreendente de Joan Lappe, que acompanhou mais de 400 mulheres no estado de Nebraska que receberam 1.100 UI de vitamina D diariamente por quatro anos, publicado no *Journal of Clinical Nutrition*, descreve a redução de 77% no risco de câncer de qualquer tipo durante esse período para o grupo suplementado em comparação ao grupo tratado com placebo[6].

Um estudo de 2006 testou os níveis de vitamina D de pacientes com câncer de mama contra um grupo de controle e descobriu que mulheres com menos de 20 ng/ml (50 nmol/L) de vitamina D tinham três vezes e meia mais chances de desenvolver câncer de mama[7].

Os pesquisadores ainda estão tentando determinar precisamente de que modo a vitamina D atua contra o câncer de mama, mas um estudo de 2010 relata que, quando a vitamina D foi usada contra células de câncer de mama em experimentos de laboratório, metade das células morreu.

"O que acontece é que a vitamina D entra nas células e desencadeia o processo de morte celular", o pesquisador JoEllen Welsh revelou ao *Good Morning America*. "É semelhante ao que vemos quando tratamos as células com tamoxifeno."[8]

O nível de vitamina D pode também determinar quão vulnerável você é aos tipos de câncer de mama mais agressivos. Existem diferentes tipos de tumor, e os cirurgiões os tratam de forma diferente. Cerca de 75% são conhecidos como ER positivo, o que significa que crescem mais em resposta ao estrogênio. As opções de tratamento, como a terapia com tamoxifeno, ajudam a bloquear os receptores de estrogênio (baías) dos quais as células de câncer de mama se alimentam.

Quando o câncer é ER negativo, o tratamento é mais difícil e o prognóstico não é tão bom.

Um estudo da Universidade de Rochester descobriu que pacientes com câncer de mama com níveis de vitamina D inferiores a 33 ng/ml no sangue tinham mais de duas vezes e meia mais chances de desenvolver a forma tumoral "mais agressiva" ER negativa. Pior ainda, elas eram mais de três vezes mais propensas a desenvolver o que é conhecido como um "câncer triplo negativo", sendo que tais tumores não respondem a drogas como Tamoxifeno ou Herceptin[9]:

> Esse tipo de câncer geralmente responde bem à quimioterapia adjuvante. No geral, no entanto, ele tem um prognóstico mais pobre do que outros tipos de câncer de mama. Até agora, não foram desenvolvidas terapias específicas, como Tamoxifeno ou Herceptin, para ajudar a prevenir a recorrência em mulheres com câncer de mama triplo negativo. Especialistas em câncer estão estudando

várias estratégias promissoras específicas destinadas a esse tipo de câncer de mama[10].

A descoberta de que a vitamina D é fabricada localmente em células da mama é uma pista vital, porque prova que a vitamina D pode ser encontrada nos seios. Não haveria nenhuma razão biológica para a produção de vitamina D em células mamárias saudáveis, a menos que servisse a um propósito. Essa descoberta torna o "efeito protetor da vitamina D no câncer de mama biologicamente plausível"[11].

Uma nova e intrigante reviravolta, que estabelece ainda a vitamina D como fundamental para a luta contra o câncer, surgiu a partir de um estudo com mulheres negras americanas. É conhecido que pessoas com a pele mais escura têm mais dificuldade de gerar vitamina D nas zonas temperadas mais frias, por isso, se a vitamina D estivesse relacionada ao câncer, seria de esperar que essas pessoas fossem mais atingidas.

Porém, dá-se com o câncer o mesmo que com o autismo. Não apenas as mulheres afro-americanas são seis vezes mais propensas à deficiência de vitamina D, como também são mais propensas a sofrer de um gene defeituoso que interfere na produção de vitamina D. Isso deixa-as particularmente vulneráveis à forma mais agressiva de câncer de mama ER negativo, o que mais uma vez se encaixa no estudo mencionado há pouco.

As mulheres afro-americanas que foram contra as probabilidades e tinham os níveis mais altos de vitamina D apresentaram outra variação que, na verdade, reduziu o risco de câncer de mama agressivo pela metade.

O que isso significa? Mostra que as taxas dos tipos de câncer de mama mais intratáveis em mulheres de pele escura parecem estar relacionadas às variações genéticas no modo como elas são capazes de processar a vitamina D. Mais uma vez, essa modesta e há muito esquecida vitamina está no centro de uma revolução na forma como entendemos o surgimento do câncer nos tempos modernos.

Os cientistas estão agora começando a se perguntar o que acontece se as adolescentes não recebem sol ou vitamina D o suficiente enquanto seus seios estão se desenvolvendo. Pesquisadores se voltaram para um grupo de 29.480 mulheres adolescentes entrevistadas em 1998 como parte de um estudo intitulado *Nurses' Health Study*.

Da referida amostra, 682, desde então, desenvolveram o que é conhecido como doença benigna proliferativa da mama. As mulheres com maior consumo dietético de alimentos com vitamina D em 1998, por sua vez, tiveram o risco de doença benigna da mama reduzido em 21%, levando o estudo a concluir que "a ingestão de vitamina D durante a adolescência pode ser importante na fase anterior à carcinogênese mamária e na oferta de novos caminhos e estratégias para a prevenção do câncer de mama"[12].

Outro estudo recente analisou as diferenças entre pacientes com câncer de mama na pós-menopausa e na pré-menopausa. Mais uma vez, os pesquisadores encontraram evidência inegável de que um nível de vitamina D inferior é igual a um resultado pior. O estudo abrangeu 2.000 mulheres com idades entre 35 e 69 anos, metade diagnosticadas com câncer de mama e metade em um grupo de controle.

Mulheres com 30 ng/ml (75 nmol/L) apresentaram apenas a metade do risco de desenvolver câncer de mama apresentado pelas mulheres com 20 ng/ml (50 nmol/L) – quantidade atualmente considerada como o nível "adequado" de vitamina D por parte das autoridades de saúde em alguns países como a Nova Zelândia.

Ao observar as amostras pré e pós-menopausa, os pesquisadores descobriram que as mulheres mais jovens com boa dosagem sérica de vitamina D tiveram o risco de desenvolver câncer de mama reduzido em 40%, enquanto as mulheres mais velhas tiveram uma redução de 63%[13].

Esses são números enormes no âmbito maior das coisas. E, em um âmbito maior, eles realmente significam algo. É verdade que estudos duplo-cego aleatórios com pessoas para detectar quem desenvolve câncer ou não desenvolve são muito raros. O estudo das *Iniciativas para a*

Saúde da Mulher foi realizado com uma dose muito baixa para oferecer resultados contundentes e sólidos. Um estudo utilizando doses de 4.000 UI ou 5.000 UI por dia é necessário. Mas muitos estudos que mostram que mulheres com altos níveis de vitamina D têm uma chance muito maior de sobreviver ao câncer de mama ou de não o desenvolver têm sido feitos.

"A prevenção do câncer de mama é um dos maiores desafios que os pesquisadores e os formuladores de políticas de saúde pública enfrentam atualmente", relatou uma análise em 2011[14]:

> Globalmente, uma ampla gama de estudos epidemiológicos tem mostrado uma relação inversa entre a luz solar ou irradiação de UVB (a principal fonte da vitamina D em humanos), a ingestão oral de vitamina D entre o primeiro e o oitavo ano de vida, a concentração de 25-hidroxivitamina D [25(OH)D] (o principal metabólito circulante da vitamina D) entre os 9 e os 14 anos e o risco de câncer de mama dos 15 aos 22 anos. Há também evidência laboratorial substancial de que os metabólitos da vitamina D exercem vários efeitos anticarcinogênicos poderosos sobre células de câncer de mama.

No estudo financiado pela Marinha dos Estados Unidos, os analistas também apontaram que as agências de saúde pública agiram, no passado, com base em evidências óbvias, sem esperar por estudos randomizados em cada caso: "A história epidemiológica demonstrou que um ECR não é necessário para estabelecer a causalidade ou para prevenir uma doença. Por exemplo, é amplamente aceito que o fumo causa câncer de pulmão, mas esse conhecimento foi adquirido como resultado de estudos observacionais comuns".

Os estudos observacionais também encontraram a causa do cólera e ajudaram no rastreamento de contatos da tuberculose.

Além disso, estudos randomizados controlados levam muito mais tempo para serem concluídos e podem custar até 350 vezes mais do que um estudo de caso-controle aninhado ou um estudo de caso-controle comum do mesmo tema quando o objetivo é testar a prevenção.

Diversos estudos utilizando modelos diferentes em populações humanas de laboratório demonstraram que a vitamina D reduz substancialmente o risco de câncer de mama. Os critérios de A. B. Hill têm sido amplamente satisfeitos, proporcionando um caso convincente para uma relação causal inversa entre o nível de vitamina D e o risco de câncer de mama.

Esses argumentos são apoiados pelas conclusões de um estudo de 2011 sobre os tipos de câncer de mama mais agressivos, que constatou uma redução de 63% no risco de câncer de mama em geral:

> Em nossas análises, maiores níveis séricos de 25(OH)D foram associados com um risco reduzido de câncer de mama, com as associações mais fortes para alto grau, ER negativo ou triplo negativo em mulheres na menopausa. Com mais uma confirmação em grandes estudos prospectivos, esses resultados poderiam justificar a suplementação de vitamina D para reduzir o risco de câncer de mama, particularmente aqueles com características de prognósticos desfavoráveis entre mulheres pré-menopáusicas[15].

> Devido ao pico do risco de câncer de mama triplo negativo antes da menopausa e uma vez que a deficiência de vitamina D pode ser facilmente corrigida por meio do aumento da exposição ao sol e/ou do consumo de suplemento, se os nossos resultados forem confirmados em grandes estudos prospectivos para causalidades temporais, a vitamina D pode ser usada como um potencial agente preventivo do câncer triplo negativo entre mulheres jovens.

Observe que os pesquisadores sentem que os resultados estão se tornando sólidos o suficiente para justificar o uso da vitamina D como um preventivo cautelar, do mesmo modo que baixas doses de aspirina têm sido utilizadas para a doença cardiovascular.

Outra equipe focada nesse problema admite que há uma divergência de opinião entre os agentes de política de saúde e os especialistas que atuam na área[16]:

O 25(OH)D é a avaliação aceita de *status* da vitamina D e fornece uma medida abrangente da vitamina D a partir de todas as fontes (dieta, luz solar e suplementação). Embora não exista uma definição padrão de *status* da vitamina D, uma classificação amplamente aceita é deficiência abaixo de 20 ng/ml, insuficiência de 20 a 31 ng/ml e uma faixa ideal em aproximadamente 32 ng/ml[17].

Apesar de uma série de estudos clínicos, pesquisadores e clínicos permanecem divididos sobre a quantidade e a suplementação adequadas para alcançar um nível de 25(OH)D normal. A recomendação atual do *Food and Nutrition Board* (FNB), do Instituto de Medicina, é de no mínimo 400 UI por dia de vitamina D para os adultos, com 2.000 UI por dia como o nível de ingestão tolerável.

No entanto, numerosos estudos clínicos que administram a suplementação de vitamina D em baixa dose ($\leq$800 UI/dia) para participantes com níveis de vitamina D abaixo do ideal não conseguiram alcançar níveis ideais de 25(OH)D[18]. Um estudo recente com pacientes com câncer de mama que receberam tratamento com suplementação de quase 2.000 UI por dia de vitamina D não conseguiu normalizar os níveis de 25(OH)D em 50% dos participantes[19]. Indivíduos com deficiência de vitamina D muitas vezes exigem um curto período (quatro a dezesseis semanas) de suplementação com altas doses de vitamina D ($\geq$40,000 UI/semana) para atingir um nível ideal de 25(OH)D, embora a evidência experimental seja severamente limitada[20]. Enquanto o FNB define 2.000 UI por dia de vitamina D como o nível máximo de consumo, a suplementação com altas doses de vitamina D é bem tolerada entre uma variedade de populações participantes, incluindo aquelas com câncer[21].

Parece muito claro então que baixas dosagens de vitamina D não são suficientes para ajudar pacientes com câncer, e que a prescrição por médicos capacitados de até 40 mil UI por semana pode ser a chave para compensar a deficiência inicial de vitamina D.

Câncer de cólon e de próstata

"As pessoas diagnosticadas com câncer colorretal no verão e no outono, quando as concentrações de 25(OH)D estão mais elevadas, apresentaram melhor sobrevida do que aquelas diagnosticadas no inverno."

– Dr. Kimmie Ng, Harvard, 2011.

Câncer colorretal

Assim como no câncer de mama, a ciência do câncer de intestino, como é vulgarmente conhecida, está sendo escrita a cada dia. Há muitos números atrelados a ela. Em 2008, estima-se que 1,23 milhão de pessoas desenvolveram câncer colorretal, e mais de 600 mil morreram em decorrência dele, o que o torna um assassino mais eficiente que o câncer de mama.

Em 2007, uma revisão de estudos médicos publicados (conhecida como metanálise) descobriu que níveis de vitamina D no sangue estimados em 33 ng/ml (82,5 nmol/L) foram associados com um risco 50% menor de câncer de cólon[1].

Um estudo de pacientes com câncer de intestino em 2008 descobriu que aqueles que tinham os níveis de vitamina D mais altos no sangue quando foram diagnosticados com câncer tiveram seu risco de morte reduzido em 48% – esses eram pacientes que já tinham a doença. Mais uma vez, quanto maior o nível de vitamina D, mais chances você tem de derrotar o câncer do intestino[2].

A página principal de informações sobre a vitamina D do Instituto Nacional do Câncer dos EUA reconhece que os estudos estão mostrando benefícios:

> Pelo menos um estudo epidemiológico relatou uma associação entre a vitamina D e a redução da mortalidade por câncer colorretal. Entre os 16.818 participantes do Terceiro Inquérito Nacional de Saúde e Nutrição[3], aqueles com níveis mais altos de vitamina D ($\geq$ 80 nmol/L ou 32 ng/ml) tiveram um risco 72% menor de morte por câncer colorretal do que aqueles com níveis mais baixos de vitamina D no sangue (< 50 nmol/L ou 20 ng/ml).

O Instituto Nacional do Câncer aponta que a maioria dos cânceres intestinais começa com tumores benignos conhecidos como adenomas e que níveis mais altos de vitamina D no sangue parecem reduzir o risco do desenvolvimento de adenomas.

Um estudo patrocinado pelo Instituto Nacional do Câncer sobre o efeito da dieta em adenomas recorrentes após uma colonoscopia também foi capaz de monitorar a ingestão dietética de vitamina D – por meio de alimentos e por meio de suplementos. O Instituto Nacional do Câncer relata que o estudo descobriu que a vitamina D adquirida exclusivamente de alimentos pareceu insignificante demais para ter um efeito benéfico, mas que "os indivíduos que usaram qualquer quantidade de suplementos de vitamina D tiveram um menor risco de recorrência de adenoma"[4].

Em outro estudo, 3.000 pessoas de vários centros médicos do *Veterans Affairs* que estavam ingerindo vitamina D foram examinadas para determinar se havia uma associação entre a ingestão e a neoplasia colorretal avançada (um resultado que incluiu adenomas de alto risco, bem como o câncer do cólon). Os indivíduos com maior ingestão de vitamina D (mais de 16 μg ou 645 UI por dia) tiveram um risco menor de desenvolver neoplasia avançada do que aqueles com consumo mais baixo[5].

As análises dos resultados dos dados desse e de uma série de outros estudos observacionais descobriram que níveis mais elevados circulantes de vitamina D e maior ingestão de vitamina D estavam associados a menores riscos de adenoma colorretal[6].

O Instituto Nacional do Câncer também observa que os níveis de vitamina D em circulação no sangue precisam realmente ser bastante elevados para fins de proteção:

> Outro estudo randomizado controlado de grande porte patrocinado pelo Instituto Nacional do Câncer explorou os efeitos da suplementação de cálcio e dos níveis de vitamina D no sangue sobre a recorrência de adenoma. A suplementação de cálcio reduziu o risco de recorrência de adenoma apenas nos indivíduos com níveis de vitamina D no sangue acima de 73 nmol/L. Entre os indivíduos com níveis de vitamina D iguais ou inferiores a esse número, a suplementação de cálcio não foi associada a um risco reduzido[7].

Há muitos outros fatores que ajudam a evitar ou sobreviver ao câncer, é claro – a dieta é um deles –, mas o ponto aqui é que a vitamina D está funcionando para além disso. Claramente, algumas pessoas com altos níveis morrem, independentemente (caso contrário, a redução do risco seria de 100%), mas dobrar as suas chances de sobrevivência com a vitamina D não é algo que se possa considerar irrelevante... você não acha?

Com o câncer de intestino, no entanto, devido à sua alta taxa de mortalidade, há evidências de que as pessoas não podem ser demasiadamente complacentes. Como nos casos de câncer de mama, se os seus níveis de vitamina D já não estão elevados no momento do diagnóstico, pode ser tarde demais para que ela desempenhe um grande papel em mantê-lo vivo. Esperar até desenvolver um câncer para adotar uma suplementação adequada pode ser um descuido fatal.

Um estudo publicado em 2011 envolvendo pacientes no estágio IV do câncer de intestino com metástases pelo corpo descobriu duas coisas. Em primeiro lugar, que apenas 10% de sua amostra de pacientes ainda tinham níveis de vitamina D altos o suficiente para surtirem algum efeito útil e, em segundo, que os cânceres tinham tomado a maioria das vítimas chegando a um ponto sem retorno.

Os pesquisadores liderados por Kimmie Ng forneceram uma análise ponderada[8]:

> Nos Estados Unidos, a mortalidade do câncer colorretal segue um gradiente latitudinal, com maiores taxas de mortalidade observadas em indivíduos que residem em latitudes mais altas. Um grande estudo observacional na Noruega descobriu que as pessoas com diagnóstico de câncer colorretal no verão e no outono, quando as concentrações de 25(OH)D estão mais elevadas, apresentaram melhor sobrevida do que aquelas diagnosticadas no inverno[9]. Nós mostramos anteriormente que níveis plasmáticos mais elevados de 25(OH)D antes do diagnóstico e após o diagnóstico estão associados com reduções significativas na mortalidade entre os pacientes com câncer colorretal confirmado, embora, nesses estudos, uma proporção substancialmente maior da população tivesse níveis plasmáticos de 25(OH)D superiores a 33 ng/mL.
>
> Nesse estudo, nós não detectamos uma associação entre um nível plasmático de 25(OH)D mais elevado e a evolução dos pacientes. É possível que a vitamina D possa ter um impacto limitado sobre a história natural do câncer colorretal, uma vez que tenha metástases. Dados pré-clínicos indicavam que a expressão de receptores de vitamina D (RVDs) estava diminuída nos estágios finais de neoplasia[10], talvez levando à perda de resposta das células tumorais do cólon à vitamina D. No entanto, outra possível explicação para os

resultados discrepantes é que nosso estudo tenha poder estatístico limitado, com apenas um pequeno número de pacientes com níveis plasmáticos de 25(OH)D suficientes para um efeito protetor na evolução do câncer.

Outros estudos, de igual modo, constataram que níveis elevados de vitamina D, de 30 ng/mL (75 nmol/L) ou mais, desempenham um papel importante na sobrevivência ao câncer:

> A maioria dos estudos epidemiológicos sustenta consistentemente uma redução de cerca de 20% a 30% no risco de câncer colorretal e de adenomas comparando as categorias de ingestão alta e baixa de cálcio e vitamina D, embora os efeitos independentes não possam ser devidamente separados. Menos consistência foi verificada na relação dose-resposta para ambos os nutrientes. A ingestão de cálcio inferior a 1.000 mg/d e a ingestão de 1.000 a 2.000 UI/d de vitamina D, alcançando um nível de pelo menos 30 ng/ml, parecem importantes para a prevenção do câncer colorretal[11].

Câncer de próstata

As relações da vitamina D com o câncer de próstata são mistas. As amostras de sangue retiradas de 14 mil médicos norte-americanos em um estudo intitulado *Physicians Health Study* revelaram que aqueles com níveis de vitamina D abaixo de 25 ng/ml (62,5 nmol/L) apresentavam mais que o dobro do risco de desenvolver uma forma agressiva e frequentemente letal de câncer de próstata[12].

Os pesquisadores descobriram que alguns homens tinham uma variação genética que os tornava duas vezes e meia mais suscetíveis a um câncer de próstata agressivo em combinação com um baixo nível de vitamina D. Porém, os homens com o mesmo gene, mas alto nível de vitamina D, apresentaram queda entre 60% e 70% no risco desse tipo de câncer.

Esse é um fato desconcertante, o de que a vitamina D é capaz de compensar um gene defeituoso.

O mais preocupante é que 51% dos médicos do sexo masculino estavam sofrendo de "insuficiência" ou "deficiência" de vitamina D, mesmo durante o verão (possivelmente um resultado direto das recomendações para evitar o sol), elevando para 77% a taxa dos que apresentavam insuficiência ou deficiência durante o inverno e a primavera. Com esses níveis baixos, mais da metade dos homens estava claramente sob um risco muito maior de câncer de próstata agressivo.

"Nossos dados sugerem que uma grande proporção de homens norte-americanos tem níveis de vitamina D abaixo do ideal (especialmente durante a primavera e o inverno) e que a 25(OH)D e a 1,25(OH)$_2$D podem desempenhar um papel importante na prevenção e na progressão do câncer de próstata", os autores do estudo concluíram.

Por que eu uso a expressão "mista"? Porque os estudos até agora não demonstraram uma ligação entre os níveis de vitamina D e o câncer de próstata menos agressivo e mais comum. Um relatório recente acompanhou os resultados de saúde de 1.260 homens que tinham sido diagnosticados com câncer de próstata em algum momento depois de fornecerem amostras de sangue entre 1993 e 1995. Da referida amostra, 114 homens tiveram "resultados letais" em março de 2011.

Os pesquisadores descobriram fortes ligações entre altos níveis de vitamina D no sangue e uma chance 57% menor de contrair o câncer de próstata mais agressivo. No entanto, eles "não encontraram associação estatisticamente significativa" entre os níveis de vitamina D e "o câncer de próstata em geral". A partir disso, eles concluíram que "a vitamina D é importante para o câncer de próstata letal"[13].

Soma-se aos resultados "mistos" um estudo estranho da Finlândia, conhecido como o estudo do alfa-tocoferol e betacaroteno (ou ATBC), em que maiores níveis de vitamina D no sangue estavam ligados a um aumento do risco de câncer de próstata agressivo[14]. O problema desse estudo é que a amostra era inteiramente composta por homens que fumavam ativamente, com idades entre 50 e 69. Essa mesma amostra também foi utilizada em um estudo mostrando um aumento do risco de câncer pancreático[15]. Seria essa a prova de que o tabagismo e a vitamina D não se misturam? O especialista em vitamina D William Grant suspeita que sim: "A melhor hipótese para justificar a maior incidência de câncer de pâncreas nos fumantes finlandeses com níveis mais elevados de 25(OH)D é que a relação do câncer pancreático com a vitamina D é diferente para fumantes e não fumantes[16]".

Ele aponta que pode haver outros fatores ambientais turvando o estudo, ou mesmo uma variação genética peculiar para a Escandinávia, semelhante às variações genéticas descobertas em outras raças. Há também o problema de que os níveis basais de vitamina D eram muito baixos nos homens finlandeses, o que levou a este comentário em um fórum de câncer de próstata: "Esses estudos de vitamina D escandinavos são de enlouquecer. Quando a metade dos homens é deficiente e a maioria dos outros tem insuficiência, qual é a definição de 'alta'?"[17].

A resposta, possivelmente, é que os fumantes finlandeses "tragavam" suplementos de vitamina D.

Com toda a seriedade, no entanto, os pesquisadores se perguntam se começar com uma média muito baixa de vitamina D fez alguma diferença:

> Tal como foi recentemente sintetizado por Li *et al.*[18], as populações nos estudos nórdicos[19] foram distinguidas pela grande proporção dos homens com deficiência de vitamina D (ou seja, com níveis séricos inferiores a 50 nmol/L – aproximadamente 50% dos homens eram deficientes, em comparação com apenas 20% para as populações do estudo norte-americano)[20].

Outro exemplo de variações raciais que afetam o impacto da vitamina D sobre o câncer de próstata vem de um estudo realizado pelo Instituto

Nacional de Saúde entre afro-americanos dos EUA, que encontrou uma variação genética que pode ser responsável pelas taxas desproporcionais de câncer de próstata nessa comunidade.

Uma das teorias por trás do câncer de próstata é a de que ele é estimulado por uma elevada ingestão de cálcio. Embora a maioria dos homens analisados (82%) tenha consumido menos do que a ingestão diária recomendada de 1.200 mg de cálcio na dieta, os homens com o consumo mais alto (> 1.059 mg/dia) apresentaram mais que o dobro de probabilidades de desenvolver câncer de próstata do que os homens com a menor ingestão (<488 mg/dia).

A vitamina D é, naturalmente, um regulador-chave da absorção de cálcio.

Descobriu-se que os afro-americanos tinham um gene que os tornava muito mais suscetíveis à ingestão de cálcio. O mesmo gene é encontrado nas populações europeias e hispânicas, em menor grau. Nos locais onde ele foi encontrado em homens europeus, também foi registrado aumento do risco de câncer de próstata em conjunto com níveis mais altos de vitamina D[21].

No entanto, os pesquisadores norte-americanos dizem que a quantidade de cálcio envolvida excede a quantidade que a vitamina D normalmente processa em um dia, por isso, a via de risco para o cálcio é provavelmente algum outro mecanismo ainda desconhecido pelos norte-americanos. Eles suspeitam que essa anomalia genética possa estar por trás dos resultados conflitantes nos estudos de vitamina D/próstata: "Um efeito positivo de níveis séricos de cálcio no risco de câncer de próstata pode confundir a relação entre 25(OH)D e o risco de câncer de próstata em alguns estudos, o que pode explicar alguns resultados discrepantes na literatura".

Um desses resultados foi um estudo de 2008 envolvendo o cientista Demetrius Albanes, que encontrou um risco maior de câncer de próstata agressivo entre homens com níveis mais elevados de vitamina D, mas é digno de nota que os autores do estudo não consideraram que a ingestão de cálcio tenha sido relevante para o resultado: "Os fatores que foram encontrados para não confundir as associações de interesse incluíram os seguintes: ...vitamina D (<200, 200-399, 400-599, 600-799, 800-999, ≥ 1000 UI/d) e ingestão de cálcio (<750, 750-999, 1.000-1.499, 1.500-1.999, ≥ 2.000 mg/d)"[22].

O biólogo norte-americano especializado em câncer Gary Schwartz conseguiu colocar nos anais científicos sua evidência indicando "que a recente associação entre o câncer de próstata e os níveis séricos de 25(OH)D por Albanese *et al.* [no estudo finlandês] deve-se à confusão ou interação com os níveis séricos de cálcio"[23]. Os afro-americanos que não tinham a variação genética e não eram tão suscetíveis ao cálcio tiveram um risco reduzido de câncer de próstata, fortalecendo ainda mais a suspeita de que os dados finlandeses utilizados com frequência podem ser falhos porque estão distorcidos pela genética. Para aumentar ainda mais a confusão científica, um estudo de homens caucasianos americanos incluiu aqueles que tinham a variante genética, mas descobriu que eles não foram afetados por ela: "Por outro lado, em um estudo norte-americano de homens brancos não hispânicos, não houve associação significativa entre o genótipo RVD Cdx2 e o risco de câncer de próstata avançado, independentemente da exposição ao sol"[24].

Moral da história? Fale com o seu médico.

O coração em questão

"Os pesquisadores descobriram que aqueles com os níveis de vitamina D mais baixos tiveram três vezes mais probabilidades de morrer de doenças cardíacas e duas vezes e meia mais probabilidades de morrer de qualquer causa."

- Resultados do estudo NHANES III.

A doença cardíaca é a maior assassina natural do mundo. A cada ano a estatística mostra que cerca de uma a cada quatro mortes no mundo ocorre por alguma doença relacionada ao coração. Nos EUA, cerca de uma em cada trezentas pessoas sofre um ataque cardíaco a cada ano[1]. Fomos convidados a experimentar a chamada dieta mediterrânea, rica em azeite de oliva e vinho tinto, mas os pesquisadores estão agora começando a suspeitar que o verdadeiro ingrediente secreto na dieta mediterrânea era realmente a luz solar.

Em 2012, um importante estudo da síndrome metabólica dos pacientes cardíacos na Europa, que acompanhou sua saúde por quase oito anos, descobriu que as pessoas com os níveis mais altos de vitamina D tiveram risco de morte súbita reduzido em 85%. Não há uma única droga no planeta capaz de oferecer essas probabilidades[2].

Cerca de 92% dos participantes apresentaram o que as equipes de pesquisa chamam de níveis "subótimos" de vitamina D, abaixo de 75 nmol/L (30 ng/ml), e um total de 22% da amostra caíram na categoria "severamente deficientes", de menos de 25 nmol/L (10 ng/ml).

Dos 1.801 pacientes monitorados, 462 morreram dentro do período experimental. Aqueles com os mais altos níveis de vitamina D apresentaram probabilidade 75% menor de morrer de qualquer causa (insuficiência cardíaca, acidente rodoviário, meteorito, qualquer causa de morte) e probabilidade 85% menor de sofrer "morte súbita". Para as pessoas com nível de vitamina D "ideal", houve redução de 76% no risco de morte por doença cardíaca congestiva durante o período de acompanhamento de 7,7 anos. A redução da taxa de mortalidade seguiu uma escala móvel, dependendo dos níveis de vitamina D.

Acredita-se que cerca de 15% dos adultos europeus tenham a "síndrome metabólica", que está ligada a obesidade, hipertensão arterial e metabolismo inadequado de glicose e insulina. Ela é uma precursora conhecida de diabetes tipo 2 e doença cardiovascular. Cerca de um em cada três americanos sofre com isso. A importância desse estudo de 2012 sobre mortalidade cardíaca é bastante óbvia.

Precisamente como a vitamina D funciona sobre o sistema cardiovascular ainda está sob investigação – uma vez que os pesquisadores médicos apenas começaram a avançar em seus estudos sobre os vários benefícios das vitaminas nos últimos quinze anos. No entanto, um estudo recente mostra um caminho possível. Há um produto químico conhecido como renina plasmática, que tem sido associado à mortalidade mais elevada por doença cardíaca.

Agora, um estudo duplo-cego sérvio de 101 pacientes cardíacos com suplementos de vitamina D de 2.000 UI diários constatou grande impacto da vitamina D sobre a produção de renina.

Os resultados, apresentados em uma conferência cardiovascular desse ano, mostram que, após seis semanas, os pacientes que receberam os 2.000 UI de vitamina D diários tiveram níveis sanguíneos elevados de uma média de apenas 48 nmol/L (19,2 ng/ml) para 80 nmol/L (32 ng/mL). Em contraste, os níveis de vitamina D dos pacientes cardíacos tratados com placebo foram reduzidos de uma média de 47 nmol/L para uma média de 44 nmol/L (17,6 ng/ml) durante as seis semanas de teste.

"Seis semanas de suplementação de vitamina D reduziram a atividade da renina plasmática a 1,3 nmol/L por hora, enquanto os pacientes de controle tiveram um aumento de 2,4 nmol/L por hora durante o mesmo período", disse o líder do estudo, Rudolf de Boer[3]. Em termos do quadro geral, os níveis prejudiciais de renina no plasma caíram de 65 ng/L para 55 ng/L nos pacientes tratados com vitamina D e aumentaram para uma faixa de 56 ng/L a 72 ng/L no grupo tratado com placebo.

Questionado pela imprensa sobre o motivo pelo qual seu estudo se mostrara promissor onde o estudo do programa *Iniciativas para a Saúde da Mulher* não havia demonstrado os benefícios da vitamina D, o Dr. Frank Ruschitzka, da Universidade de Zurique, disse ao *MedPage Today* que o estudo do programa, referido anteriormente neste livro, fora realizado com doses muito baixas de 400 UI ao dia, em comparação com 2.000 UI/dia.

O *American Journal of Cardiology* (Jornal Americano de Cardiologia) também publicou recentemente um importante estudo com 10.899 pacientes inscritos em um programa cardiovascular da Universidade de Kansas entre 2004 e 2009. Ele descobriu que os pacientes com vitamina D acima de 30 ng/ml (75 nmol/L) reduziram seu risco de mortalidade em 61% em comparação com aqueles cujos níveis de vitamina D eram mais baixos[4]. Na verdade, as pessoas com baixos níveis de vitamina D apresentaram probabilidade 164% maior de morrer durante o período do estudo, de cinco anos.

"A deficiência de vitamina D foi associada com um risco significativo de doença cardiovascular e sobrevida reduzida", escreveram os autores do estudo. "A suplementação de vitamina D foi significativamente associada com melhor sobrevida."

O estudo não apenas registrou os níveis de vitamina D (níveis basais) no início do período, como também manteve um registro a partir do qual os médicos decidiram receitar vitamina D como parte do tratamento. No total, 29,7% da amostra tinham bons níveis de vitamina D, e 70,3% (7.665 pacientes) apresentaram baixo nível de vitamina D. Dos 10.899 pacientes, um subgrupo de 2.423 pacientes deficientes em vitamina D no início do estudo recebeu suplementos semanais de seus médicos. Alguns receberam 1.000 UI por dia, e outros 50 mil UI a cada quinze dias, mas a média global entre o subgrupo foi de 2.254 UI/dia. Esses pacientes "deficientes" que receberam suplementos de vitamina D reduziram seu risco de mortalidade geral – eles ainda tinham 46% mais chances de morrer do que os pacientes cujos níveis de vitamina D haviam sido elevados desde o início, mas estavam em melhor situação que os pacientes "deficientes" que não receberam suplementos de vitamina D, cujo risco de mortalidade aumentou 272%!

Os pacientes cardíacos com deficiência de vitamina D eram quase três vezes mais propensos a morrer e mais de duas vezes e um quarto mais propensos a desenvolver diabetes *mellitus* do que os pacientes cujos níveis de vitamina D tinham sido elevados desde o primeiro dia. Também tinham quase uma vez e meia mais chances de desenvolver pressão arterial elevada.

Embora esse estudo não tenha sido randomizado ou de dupla ocultação, uma vez que os médicos fizeram a escolha para intervir e incluir altas doses de vitamina D como parte de seu arsenal de tratamento cardiovascular, ele mostra claramente três principais grupos de exemplo: aqueles que tinham altos níveis de vitamina D no início, aqueles que tinham níveis insuficientes de vitamina D no início e, finalmente, aqueles que eram deficientes, mas cujos médicos decidiram por um tratamento com vitamina D adicional a outro medicamento para o coração.

O especialista em vitamina D Dr. John Cannell certa vez lançou um desafio aos seus colegas médicos: "Devem os profissionais investigar rotineiramente e tratar agressivamente a deficiência de vitamina D em pacientes com doenças graves ou potencialmente fatais ou deixar que tais pacientes combatam sua doença com níveis de vitamina D deficientes?[5]".

Parece que a Universidade de Kansas respondeu a esse desafio e, ao fazê-lo, provou seu ponto. Em última análise, os pacientes com níveis mais altos de vitamina D desde o primeiro dia tiveram as melhores taxas de sobrevivência. Aqueles que eram deficientes, mas que receberam suplementos mais tarde, tiveram o maior avanço em suas taxas de sobrevivência. Aqueles tratados apenas com drogas tradicionais para a doença cardíaca, sem tratamento para sua deficiência de vitamina D, apresentaram probabilidade esmagadoramente maior de morrer dentro de cinco anos.

O estudo envia outro sinal claro de que a obtenção de níveis superiores de vitamina D é crucial para que as pessoas tenham mais chances de sobreviver a grandes crises de saúde. Como você viu até agora neste livro, as pessoas cujos níveis de vitamina D são bons antes de serem diagnosticadas com doenças graves são os verdadeiros vencedores.

"Uma vez que a deficiência de vitamina D é generalizada", observam os autores do estudo, "estratégias dirigidas a programas de suplementação da base populacional poderiam ser benéficas."

Da mesma forma que a equipe europeia do estudo anterior, os pesquisadores norte-americanos consideram "inconclusivos" os resultados dos estudos anteriores devido a sua condução mal planejada: "É possível que a falta de benefícios vista nesses estudos seja resultado dos níveis subótimos de suplementação de vitamina D... 400 a 800 UI... que podem não ser suficientes para garantir níveis séricos ideais".

Uma dose diária mais "apropriada" para o público é de "1.000 a 2.000 UI", eles sugerem.

> Nossos resultados são consistentes com estudos [anteriores], sugerindo piores resultados para pacientes com deficiência de vitamina D. Além disso, nossos dados ampliaram ainda mais esses resultados, demonstrando melhora da sobrevida com a suplementação de vitamina D Os benefícios da suplementação de vitamina D na sobrevivência foram significativos para os pacientes com deficiência

documentada. Esse benefício mostrou-se independente do uso concomitante de outros medicamentos cardioprotetores, como aspirina ou estatinas.

O comentário sobre estatinas levanta outra descoberta importante. Outro estudo descobriu que as estatinas desempenham um papel fundamental ao impulsionar o poder da vitamina D no organismo, levando um pesquisador[6] a sugerir que há a possibilidade de "que alguma – ou toda – redução da mortalidade das estatinas possa ser medida pelo aumento dos níveis de vitamina D".

Será que pacientes cardíacos com altos níveis de vitamina D sobrevivem por mais tempo porque a vitamina torna as estatinas mais eficazes?

Uma nova reviravolta impressionante nessa questão surgiu em 2009. Um grupo de pesquisadores turcos que estudam os efeitos das estatinas em um hospital em Ancara foi surpreendido por um efeito colateral inesperado em seu estudo. Um grupo de mulheres, em sua maioria muçulmanas, estava participando de um estudo de oito semanas sobre a terapia de rosuvastatina. Quando o sangue foi testado, os níveis de 25(OH)D tinham aumentado de uma média de 14 ng/ml para 36,3 ng/ml ao longo das oito semanas. Essas pessoas não estavam ingerindo suplementos de vitamina D, era inverno, e a maioria delas usava o tradicional traje muçulmano completo. O tipo de aumento de vitamina D que elas apresentaram normalmente não é visto sem a suplementação de vitamina D ou sem o sol intenso do verão.

Perplexos, os pesquisadores organizaram um segundo estudo randomizado controlado de uma amostra populacional semelhante no mesmo hospital, nos mesmos meses de um ano diferente. Eles usaram uma estatina diferente, a fluvastatina, a fim de verificar se o efeito era comum ou específico para a rosuvastatina.

No final de oito semanas, o grupo da rosuvastatina mostrou, novamente, aumento do nível sérico de vitamina D, dessa vez de 11,8 ng/ml para 35,2 ng/ml. Não houve aumento significativo no grupo da fluvastatina.

"Nós propomos que algumas estatinas podem estar aumentando a absorção de vitamina D ao estimular as expressões de transportadores de colesterol", escreveram os autores do estudo em 2012. "Esse efeito, que foi mostrado com a Rosuvastatina, pode ser estudado com a atorvastatina e pode abrir um horizonte para explicar a ligação entre as estatinas e a vitamina D."[6]

A partir desse estudo, descobriu-se que algumas estatinas estão aparentemente usando a vitamina D para realizar uma espécie de magia no corpo.

Uma forma por meio da qual a vitamina D parece não afetar o coração é agindo sobre as artérias. Uma equipe da Universidade de Wisconsin especulou se a vitamina reduziria a "rigidez" arterial e realizou um estudo com 114 mulheres. Metade da amostra recebeu um suplemento de 2.500 UI ao dia de vitamina D, e a outra metade recebeu placebo. Depois de quatro meses, eles não encontraram nenhum impacto sobre a rigidez arterial ou a pressão arterial[7]. Outros estudos, no entanto, chegaram a resultados diferentes. Um estudo dinamarquês com 112 pacientes – metade das quais recebeu suplemento diário de 3.000 UI de vitamina D, e a outra metade recebeu placebo – constatou que, ao longo de vinte semanas no inverno, as medições de pressão arterial sistólica e diastólica dos pacientes mostraram queda significativa de sete e dois pontos, respectivamente[8].

Para colocar isso em perspectiva para o leitor comum, as manchetes dos jornais resumiram: "Tão bom quanto medicamentos".

"A redução da pressão arterial sistólica foi bastante significativa – o mesmo resultado obtido em estudos com drogas poderosas", observou a professora da Universidade de Glasgow Anna Dominiczak, também vice-presidente da Sociedade Europeia de Hipertensão. "Este é um estudo inicial, por isso precisa ser confirmado, mas é potencialmente interessante como parte de uma estratégia global para a gestão da hipertensão em pacientes com baixos níveis de vitamina D."[9]

Os coreanos, por sua vez, tiveram mais sucesso em vincular a saúde arterial à vitamina D em pacientes idosos. Eles não usaram suplemento, então tecnicamente não foi um teste. Eles, no entanto, mediram a espessura da parede arterial de 1.000 homens e mulheres com idade superior a 65 anos selecionados aleatoriamente para um estudo de grupo.

Eles descobriram que aqueles que apresentavam níveis mais baixos de vitamina D (abaixo de 15 ng/ml) eram três vezes mais propensos a ter estenose significativa da artéria coronária do que aqueles com níveis de vitamina D superiores a 30 ng/ml[10]. Doença cardíaca congestiva, ataques cardíacos e pressão arterial não são as únicas áreas em que a vitamina D está se mostrando promissora. Ela está sendo aclamada como uma proteção contra acidentes vasculares cerebrais fatais também.

Um estudo com quase 8.000 americanos descobriu que os brancos são duas vezes mais propensos a sofrer um acidente vascular cerebral fatal se tiverem baixos níveis de vitamina D, definidos no estudo como inferiores a 15 ng/ml, em comparação com um nível de referência de 31 ng/ml. Curiosamente, o mesmo efeito não foi encontrado em afro-americanos, apesar de eles sofrerem acidentes vasculares cerebrais proporcionalmente mais fatais do que os americanos de ascendência europeia:

> A deficiência de vitamina D foi associada a um risco aumentado de acidente vascular cerebral fatal em brancos, mas não em afrodescendentes. Embora os afrodescendentes tenham uma taxa mais elevada de AVC fatal em comparação com os brancos, neles os baixos níveis de 25(OH)D não estavam ligados à incidência de AVC. Portanto, os níveis de 25(OH)D não explicam esse excesso de risco[11].

No Havaí, os registros médicos completos de 8.000 homens nipo-americanos que haviam visitado o médico em meados dos anos 1960 como parte do Programa da Saúde Cardíaca de Honolulu foram examinados para ver como eles se saíram ao longo do tempo. Depois de excluir aqueles com condições preexistentes de acidente vascular cerebral, os resultados de saúde da amostra de pouco menos de 7.400 homens foram analisados até e incluindo o ano de 1999 – um período de tempo de 34 anos para os primeiros inscritos no estudo, em 1965[12].

Dos 7.385 homens, 960 passaram a sofrer acidentes vasculares cerebrais mais tarde na vida. Com base na análise dietética detalhada fornecida em *checkups* regulares como parte do Programa da Saúde Cardíaca, os pesquisadores foram capazes de calcular a ingestão de vitamina D.

Os homens com menor ingestão de vitamina D tiveram aumento de 27% do risco de acidente vascular cerebral isquêmico. Para as mulheres, a história pode ser melhor.

A Escola de Saúde Pública de Harvard publicou recentemente os resultados da metanálise de uma pesquisa na qual os resultados de estudos semelhantes foram reunidos e analisados para fornecer um conjunto de dados maior. Com base na comparação entre um grupo de 464 mulheres que tiveram acidente vascular cerebral isquêmico e um grupo de controle semelhante que não teve, os pesquisadores descobriram que as mulheres com os níveis mais altos de vitamina D reduziram seu risco de acidente vascular cerebral isquêmico em 49%[13].

Além de pesquisar a fundo o conjunto de dados do grupo de mulheres, a equipe de Harvard descobriu que as mulheres no grupo com a vitamina D mais elevada tiveram uma redução de até 59% no risco de acidente vascular cerebral. "Manter o nível de vitamina D adequado pode reduzir o risco de AVC em mulheres", concluiu o estudo. No longo prazo, dado que normalmente é alguma doença cardíaca ou algum câncer que vai levar você no final, os estudos sobre longevidade contam a melhor história.

Quando os dados das amostras de sangue de 3.400 americanos foram analisados na Terceira Pesquisa Nacional de Saúde e Nutrição (NHANES III), os pesquisadores descobriram que aqueles com os níveis mais baixos de vitamina D tiveram três vezes mais probabilidades de morrer de doença cardíaca e duas vezes e meia mais probabilidades de morrer de qualquer causa[14]. Essa não é uma medida de mortalidade absoluta, é claro, porque todos nós morreremos, eventualmente, mas o câncer e as doenças cardíacas estão levando as pessoas mais cedo, de modo que seria ótimo se as pessoas pudessem adiá-los por um tempo.

Mais significativamente, do ponto de vista da comunidade, menos doenças significa menores custos de saúde e tempo mais produtivo *per capita*.

Um estudo divulgado recentemente pela Universidade de Washington abalou ainda mais o mito de que não há provas de uma ligação entre baixos níveis de vitamina D e doenças severas. A equipe de pesquisadores queria saber o quanto de vitamina D precisa circular no sangue para reduzir o risco de eventos graves e, para isso, testou amostras de sangue de 1.621 adultos caucasianos[15].

As amostras foram armazenadas a partir de um estudo de saúde cardiovascular no início dos anos 1990, e uma das melhores coisas sobre os bancos de sangue é que os pesquisadores podem voltar décadas em alguns casos e pesquisar as amostras. Esse grupo de teste, em particular, tinha 65 anos ou mais quando seu sangue foi armazenado.

Tendo obtido as leituras de 25(OH)D no soro sanguíneo, a equipe de pesquisa, em seguida, analisou os arquivos médicos de cada paciente para descobrir o que tinha acontecido com eles. Mais especificamente, eles queriam saber se e quanto tempo após o exame de sangue o paciente sofrera um "evento grave".

Dos 1.621 testados, pouco mais de 1.000 haviam, de fato, experimentado um "evento grave" no período dos onze anos seguintes. Os arquivos de 335 pacientes revelaram câncer desenvolvido; 137 fraturaram um quadril, 186 tiveram ataques cardíacos e 360 morreram.

O líder do estudo, Ian de Boer, disse aos jornalistas que a probabilidade era de que esses "eventos" tivessem aumentado tanto quanto mais baixo fosse o nível de vitamina D do paciente. Havia fortes sinais sazonais, refletindo a baixa geração de vitamina D durante o inverno e a primavera e os altos níveis de vitamina D do verão e do outono.

Significativamente, o ponto de perigo foi quando os níveis séricos de vitamina D caíram abaixo de 20 ng/ml (50 nmol/L), quantidade inferior ao limite de 30 ng/ml que a maioria dos especialistas em vitamina D reconhece agora como mínimo.

O que é importante lembrar é que quase todos os estudos de vitamina D identificaram uma escala em que os benefícios se tornam mais pronunciados quanto mais próximo o paciente chega dos 40 ng/ml ou 50 ng/ml (100-125 nmol/L). Mas escalas deslizantes significam que uma tendência pode ser identificada no início, a 20 ng/ml, por exemplo, permitindo que os benefícios sejam provavelmente maiores e uma tendência ainda mais forte se os níveis sanguíneos estiverem ainda mais elevados. Curvas de probabilidade estatística permitem o fato de que, enquanto algumas pessoas começarão a obter os benefícios em níveis mais baixos, um número maior se juntará a essa tendência mais acima na escala.

Uma das descobertas da investigação em curso, no entanto, é que simplesmente tomar uma pílula de vitamina D não vai necessariamente trazer resultados. Caso em questão: um estudo com 107.811 pessoas nos EUA descobriu que aquelas com níveis de vitamina D superiores a 30 ng/ml tiveram um menor risco "estatisticamente significativo" em relação aos seus níveis de lipídios [gorduras no sangue]. Isso é tudo o que sabemos. Os pesquisadores então se perguntaram se dar aos pacientes com deficiência de vitamina D um suplemento para melhorar seus níveis sanguíneos de vitamina D teria um fluxo de efeito e melhoraria seus lipídios. Eles tentaram. Mas isso não ocorreu.

Uma subamostra de 8.592 pacientes recebeu suplementos que, de fato, aumentaram seus níveis séricos de 25(OH)D, mas que não tiveram qualquer impacto importante sobre o colesterol LDL ou os triglicérides no estudo de 26 semanas. Houve apenas um pequeno impacto sobre o colesterol HDL para esses pacientes.

"Os resultados aparentemente conflitantes da análise transversal e da análise longitudinal sugerem que, enquanto a deficiência de vitamina D está associada a um perfil lipídico desfavorável, corrigir uma deficiência por meio da suplementação de vitamina D terapêutica pode ter valor limitado na melhoria dos lipídios", o líder do estudo, Manish Ponda, disse aos jornalistas[16]. Nesse caso, ele suspeita, a vitamina D, em vez de melhorar o perfil lipídico, pode simplesmente refletir o melhor perfil lipídico dos pacientes.

Para os participantes de um estudo recente, no entanto, a vitamina D tem sido uma boa notícia. Três mil pacientes com insuficiência cardíaca foram medidos contra um grupo de controle de 47 mil pessoas. Aqueles com os níveis de vitamina D mais altos, tanto na amostra quanto no grupo de controle, tiveram o menor risco de morrer. E, sobre a questão das pílulas, os pacientes com insuficiência cardíaca que tomavam pílulas reduziram seu risco de mortalidade futura em 32%[17]. Isso tem que valer alguma coisa a alguém, em algum lugar.

Infecções comuns

"A questão é se a vitamina D deveria ser implementada ou não como uma vitamina obrigatória para prevenir a gripe pandêmica."

- Journal of Medical Hypotheses de 2010.

Existe um conhecido ditado, "não há cura para o resfriado comum". Não é mais inteiramente verdade – cientistas descobriram recentemente um extrato essencial pouco conhecido de um gerânio sul-africano com o nome impronunciável de *umckaloaba*. Ele tem propriedades antibacterianas e antivirais únicas que lhe permitem acabar com resfriados, gripes comuns, pneumonia e bronquite. Ele recebeu um nome mais amigável – kaloba – e atualmente é registrado como medicamento em vários países, incluindo a Austrália, devido ao seu sucesso em ensaios clínicos[1].

O que acontece com o kaloba é que ele estimula o sistema imunológico para responder mais fortemente e rapidamente as novas infecções. Curiosamente, isso é o que a vitamina D parece fazer também.

Embora a vitamina D possa não trazer alívio para um resfriado em três dias, como o kaloba faz, há estudos que indicam que pessoas com altos níveis de vitamina D têm muito menos chance de contrair resfriados e infecções.

Um estudo controlado aleatório, publicado em 2007, testou três grupos de pessoas durante um ano. Um grupo recebeu cápsulas contendo 2.000 UI de vitamina D, que deveriam ser tomadas diariamente.

O segundo grupo recebeu cápsulas contendo uma dose de 800 UI, e o terceiro recebeu cápsulas de placebo[2].

Quase todos os que tomaram o placebo tiveram resfriados ou gripes durante o período de um ano do estudo. Apenas uma pessoa tomando o suplemento diário de 2.000 UI relatou sintomas de resfriado e gripe. Lembre-se, nenhum dos participantes sabia se estava no grupo da vitamina D ou não.

As pessoas que receberam o suplemento de 800 UI relataram alguns sintomas de resfriado e gripe, mas, em ordem de magnitude, menos do que aquelas sob placebo.

O que parece ser mais importante, porém, não é a dosagem do suplemento em si, mas por quanto tempo você o tem ingerido e se os seus níveis sanguíneos de vitamina D foram elevados até um nível de proteção.

Um segundo estudo randomizado realizado pela mesma equipe dois anos depois testou 162 adultos durante as doze semanas da temporada de inverno. Metade do grupo recebeu 2.000 UI por dia, e a outra metade recebeu placebo[3].

Ao contrário do primeiro estudo, com duração de um ano, esse começou no início do inverno e não apresentou nenhum efeito protetor da vitamina D. Por quê? Possivelmente porque no início do inverno seus níveis de vitamina D já estão abaixo da média na maioria dos casos; assim sendo, você está começando a partir de uma posição de recuperação em vez de da posição ideal.

O estudo anterior, na verdade, teve uma peculiaridade que comprova o ponto que estou defendendo. Embora classificado como um "ensaio de um ano", ele começou realmente como um teste de três anos. Pelos dois primeiros anos, os participantes da vitamina D haviam recebido apenas a dose de 800 UI. Em seguida, no último ano, eles aumentaram a dosagem de algumas dessas pessoas para 2.000 UI e deram início à corrida. Isso significa que muitas das pessoas com alta dosagem de vitamina D haviam, na verdade, consumido vitamina D durante três anos, dando-lhes a real oportunidade de elevar seu nível no sangue.

Colocado em perspectiva, não é difícil entender por que o segundo estudo, realizado durante as doze semanas de inverno, fracassou.

O segredo está realmente nos níveis sanguíneos de vitamina D no longo prazo, e não na dosagem da suplementação diária.

Qual é exatamente a conclusão a que os pesquisadores chegaram em decorrência do segundo estudo:

> Existem várias razões pelas quais a suplementação de vitamina D3 pode ter resultado ineficaz na prevenção de ITRs [infecções do trato respiratório superior] neste estudo. Antes de tudo, os envolvidos iniciaram a suplementação durante o inverno, e não antes. Leva cerca de três meses para os níveis de 25(OH)D chegarem a um estado estacionário com a suplementação. Porque é preciso uma quantidade significativa de tempo para construir estoques de vitamina D, o efeito da suplementação não venceu o inverno, estação do resfriado e da gripe. A suplementação de vitamina D3 pode ser mais eficaz na prevenção de ITRs se iniciada durante o outono, quando a luz solar começa a diminuir.

Outras razões incluem o fato de que as pessoas do primeiro estudo (2007) começaram com níveis muito mais baixos de vitamina D (em média 18,4 ng/ml), ou seja, o grupo de controle manteve-se deficiente em vitamina D, enquanto os que ingeriram suplemento melhoraram. No segundo estudo (2009), no entanto, ambos os grupos, o de controle e os que ingeriram vitamina, começaram com uma linha de base média de 25,6 ng/ml, o que significa que ambos já estavam fora da zona de perigo.

A prova dessa tese pode ser vista nas taxas reais de infecção. No estudo de 2007, 30 dos 39 que receberam placebo relataram infecções (77%). No estudo de 2009, apenas 41% daqueles que receberam placebo sofreram infecção. Sabemos que os que ingeriram placebo durante o segundo estudo tinham inicialmente níveis muito mais altos de vitamina D no sangue do que aqueles do primeiro estudo, e esses sofreram uma grande queda no número de infecções relatadas. Portanto, a tese foi comprovada.

Outro estudo randomizado duplo, realizado na Universidade de Yale, envolveu cerca de 200 pessoas em 2010 e conseguiu provar que as pessoas com níveis baixos de vitamina D são duas vezes mais propensas a desenvolver infecções do trato respiratório:

> 195 (98,5%) dos participantes inscritos completaram o estudo. Pele clara, massa corporal magra e suplementação com vitamina D foram associadas com concentrações mais elevadas de 25(OH)D. Concentrações de 38 ng/ml ou mais foram associadas com a significativa (p <0,0001) redução de duas vezes o risco de desenvolver infecções agudas do trato respiratório e com redução acentuada nos percentuais de dias doentes[4].

As conclusões a se fazer são óbvias, eles dizem:

> A manutenção da concentração sérica de 25-hidroxivitamina D de 38 ng/ml ou superior reduz significativamente a incidência de infecções virais agudas do trato respiratório e o peso da doença por ela causada, pelo menos durante o outono e o inverno em zonas temperadas. As descobertas do presente estudo fornecem orientação e pedem por futuros estudos de intervenção que analisem a eficácia da suplementação de vitamina D na redução da incidência e da gravidade de infecções virais específicas, incluindo a gripe, na população em geral e em subpopulações com concentrações reduzidas de 25-hidroxivitamina D, tais como mulheres grávidas, indivíduos de pele escura e obesos.

Assim, a vitamina do sol reduz substancialmente o risco de sua família contrair resfriados ou gripe – quem diria?

Temos falado sobre as possíveis razões para isso em capítulos anteriores, mas vale a pena recapitular. A vitamina D é conhecida por estimular o sistema imunológico a produzir antibióticos naturais, como estudo de 2009 de Li-Ng explica[5]:

> A forma ativa da vitamina D, 1,25-di-hidroxivitamina D (1,25-D OH_2), aumenta a produção endógena [fabricada naturalmente] de antibióticos chamados peptídeos antimicrobianos (PAM)[6].
>
> PAMs como defensina e cathelicidina têm uma ampla gama de ações contra microrganismos, incluindo bactérias, fungos e vírus. As defensinas podem bloquear a infecção viral atuando diretamente sobre o virião ou afetando a célula-alvo e, assim, interferir indiretamente na infecção viral[7]. Uma das defensinas chamada retrocyclin-2 inibe a infecção pelo vírus da gripe[8].

É mais uma prova de que os dermatologistas estão fundamental e perigosamente errados quando nos dizem para "evitar o sol porque não há nível seguro de exposição". Nossos corpos são projetados para interagir com a luz solar para criar antibióticos e antivirais. Ao longo do século passado e, em especial, nos últimos cinquenta anos, nós temos nos distanciado do nosso lugar natural sob o sol e estamos colhendo os frutos dessa decisão.

Enquanto os reguladores dos EUA evitam tomar uma decisão sobre a vitamina D, a Autoridade Europeia de Segurança Alimentar afirmou que o composto é imunoprotetor[9]: "O júri conclui que uma relação de causa e efeito foi estabelecida entre a ingestão de vitamina D e a contribuição para o funcionamento normal do sistema imunitário para uma resposta inflamatória saudável e para a manutenção da função muscular normal".

Mesmo depois do anunciado, resultados de testes científicos continuaram a chegar.

Uma equipe de pesquisadores japoneses conseguiu afastar o Influenza A de crianças em idade escolar em um estudo aleatório com suplementação de vitamina D. Um grupo de 334 crianças foi dividido em subgrupos que receberam 1.200 UI de vitamina D por dia ou um placebo.

O teste ocorreu durante o inverno no hemisfério norte, de dezembro de 2008 a março de 2009, e todas as crianças que receberam o suplemento reduziram o risco de infecção em 42% em comparação com as crianças do grupo de controle. Como relatado anteriormente neste livro, a melhora foi ainda mais significativa para as crianças com histórico de asma – elas reduziram seu risco de gripe A em 83%[10]. O impacto dos níveis de vitamina D sobre o risco de contrair a gripe está levando alguns pesquisadores a discutir abertamente se a suplementação de vitamina D deveria ser uma medida de saúde pública obrigatória em preparação para a próxima pandemia global de gripe[11]:

> O influenza foi associado com uma maior tendência a desenvolver pneumonia bacteriana sobreposta, de modo que a sua prevenção pode evitar maiores riscos de pneumonia, especialmente em pacientes com doença pulmonar crônica e idosos. A questão é se a vitamina D deve ser implementada como uma vitamina obrigatória para prevenir a gripe pandêmica.[12] Juzeniene *et al.* estudaram gripes pandêmicas e não pandêmicas na Suécia, Noruega, Estados Unidos, Cingapura e Japão. Quanto maior a exposição à radiação UVB no verão e, consequentemente, maiores níveis de 25(OH)D, maior é a proteção contra o Influenza[13].

Não é apenas de gripes e resfriados que a vitamina D tem sido comprovadamente eficiente em nos proteger.

Tuberculose

Uma das clássicas infecções que ela ajuda a combater é a tuberculose, uma doença que vem infectando os seres humanos desde a aurora dos tempos. Caracterizada pela desintegração do tecido pulmonar, podendo levar à morte, e pelo fato de se espalhar facilmente por meio do contato e da tosse, é uma doença viciosa que, coincidentemente, está ressurgindo na população da mesma forma que o raquitismo está de volta às notícias.

"Não há necessidade de se vacinar contra a tuberculose", relatou a *NaturalNews* recentemente[14], "se você mantiver os níveis de vitamina D altos o suficiente", sugere um novo estudo publicado na revista *Science Translational Medicine*. Os pesquisadores descobriram que, mesmo na presença de níveis minimamente adequados de vitamina D, o próprio sistema imunológico do corpo vai, naturalmente, desencadear uma resposta imunitária contra essa doença e muitas outras, sem a necessidade de intervenções farmacológicas ou químicas.

A verdadeira lição a se tirar a partir disso não é que a tuberculose está abatendo os antibióticos modernos devido ao aumento da resistência a eles. Não, a verdadeira lição é que você só está suscetível a contrair tuberculose se os seus níveis de vitamina D estiverem baixos.

Frequentemente, a doença atinge a África e a Ásia. Um recente estudo paquistanês descobriu que pessoas com baixos níveis de vitamina D tinham 500% mais probabilidades de contraírem tuberculose. Você pode supor que, sendo o Paquistão um país relativamente ensolarado, eles estariam protegidos, mas na verdade a maioria das pessoas, especialmente as mulheres, está completamente coberta da cabeça aos pés. Os entrevistados tinham níveis de vitamina D tão baixos quanto 4,6 ng/ml, uma grande diferença comparando-se com os níveis ideais, que se situam entre 40 ng e 50 ng/ml.

"No relatório do estudo de grupo do Paquistão", concluíram os pesquisadores, "níveis baixos de vitamina D foram associados com a progressão para a forma ativa da doença em contatos domiciliares saudáveis. Não houve óbitos durante o período de acompanhamento, seja por tuberculose, seja por causas não relacionadas. Nossos resultados também sugerem que a deficiência de vitamina D pode explicar a maior suscetibilidade das mulheres à progressão da doença em nosso grupo."[15] Níveis baixos similares de vitamina D foram observados em crianças na Mongólia, e a suplementação reduziu os seus riscos de tuberculose em 60%[16]. É aquele estudo da revista *Science Translational Medicine*, no entanto, que acerta o quão fundamental é a vitamina D. Eles ressaltam que o combate à tuberculose em todo o mundo depende da compreensão de como o sistema imunológico humano trabalha para combater infecções.

"A resposta das células T adquiridas é fundamental para a defesa do hospedeiro contra os patógenos microbianos, ainda que o modo como elas atuam em humanos não esteja claro", relata o autor Mario Fabri[17]. Diz-se que "a luz solar é o melhor desinfetante", e isso é exatamente o que a equipe de Fabri descobriu. Eles notaram que as células T são carregadas com interferon e outros antibióticos naturais como cathelicidina para combater o *mycobacterium tuberculosis* quando ele infecta o corpo humano. Sem vitamina D para dar a partida no sistema imunológico, o nosso motor biológico falha um par de vezes e desiste, sobrecarregando-se com a infecção.

Os pesquisadores de Fabri descobriram outra coisa também. Pessoas de pele escura são mais vulneráveis a doenças como a tuberculose por causa de variações genéticas que estão impedindo a fabricação de quantidades suficientes de vitamina D. Foi possível corrigir essa deficiência por meio de suplementos.

Os resultados sugerem um mecanismo em que é necessária a presença da vitamina D para adquirir imunidade, superar a habilidade de agentes patogênicos intracelulares e evadir respostas mediadas por macrófagos antimicrobianos. Os presentes resultados ressaltam a importância de quantidades adequadas de vitamina D em toda a população humana para manter tanto a imunidade inata quanto a adquirida contra a infecção.

Infecções hospitalares

No mundo ocidental, as infecções hospitalares – doenças que você contrai durante uma estada no hospital – são, na verdade, a maior causa de morte no sistema de saúde. Quase dois milhões de casos são relatados anualmente somente nos hospitais dos Estados Unidos, e cem mil mortes são atribuídas a elas a cada ano nos EUA.

Uma avaliação publicada em 2012 revela que os custos dessas infecções evitáveis, apenas para os consumidores norte-americanos, podem chegar a US$ 45 bilhões por ano[18].

> Infecções relacionadas a cuidados de saúde e infecções hospitalares são associadas com o aumento da morbidade e da mortalidade. Elas são altamente dispendiosas e constituem um grande fardo para o sistema de saúde. A deficiência de vitamina D (inferior a 20 ng/ml) é predominante e pode ser um fator crucial para desencadear problemas de saúde, tanto agudos quanto crônicos. A deficiência de vitamina D está associada com a imunidade inata diminuída e o aumento do risco de infecções. A vitamina D pode influenciar positivamente uma grande variedade de infecções microbianas.

Em se tratando das doenças que você pode contrair em hospitais, "a pneumonia é a doença mais provável, seguida por bacteremia, infecções do trato urinário, infecções cirúrgicas, entre outras".

Quase 13% – ou cerca de uma em cada oito pessoas admitidas em hospitais americanos – acabaram com uma dessas infecções, prolongando a sua estada hospitalar ou, em alguns casos, chegando ao óbito. O mais recente estudo estima o custo do tratamento desses casos em até US$

21 mil por pessoa, com um extra de US$ 33 mil por infectado, relativo a todos os tipos de custos que podem ser associados à morte prematura e à perda do potencial de ganhos. Portanto, pode chegar a US$ 54 mil em média, por pessoa. Não é de se admirar que os administradores de saúde pública estejam tentando encontrar maneiras de reduzir o risco.

O novo artigo diz que a resposta provavelmente está na vitamina D:

A vitamina D modula o sistema imunológico[19] e parece ter efeitos antimicrobianos sistêmicos[20] que podem ser cruciais para uma variedade de doenças, tanto agudas quanto crônicas.

Em uma publicação anterior, identificamos as ações mais importantes da vitamina D contra muitas infecções, sejam elas causadas por bactérias, microbactérias, fungos, parasitas ou vírus[21]. Também descobrimos que a deficiência de vitamina D foi intimamente ligada a consequências de saúde adversas e custos em idosos com infecções causadas por *estafilococos* e *Clostridium difficile* (*C. difficile*). Pacientes deficientes de vitamina D com *C. difficile* ou infecções estafilocócicas tiveram custos mais de cinco vezes superiores aos dos pacientes não deficientes. A duração total de permanência no hospital foi quatro vezes maior no grupo deficiente de vitamina D. Além disso, o número total de hospitalizações foi significativamente maior em pacientes com deficiência.[22]

Da mesma forma, os pacientes deficientes de vitamina D com infecções por MRSA (*Staphylococcus aureus* resistente a meticilina) e *Pseudomonas aeruginosa* apresentaram maiores custos e utilização de serviços do que os pacientes que não estavam deficientes."[23] Em um estudo retrospectivo realizado por McKinney e seus colegas, os sobreviventes da UTI registraram uma taxa de deficiência de vitamina D significativamente menor do que os que não sobreviveram (28% contra 53%). O risco de morte foi significativamente maior em pacientes de UTI com deficiência[24].

O estudo relata que um cirurgião de Seattle, especializando-se no tratamento de veteranos de guerra, administrou rotineiramente aos pacientes uma dose de 50 mil UI de vitamina D antes das cirurgias. Ele verificou que as complicações pós-operatórias quase desapareceram. É uma questão a ser analisada em unidades de cuidados intensivos também.

Um estudo de pacientes na UTI determinou que 82% deles eram deficientes ou insuficientes em vitamina D. Aqueles com ótimos níveis eram mais propensos a se recuperar e ir para casa mais rapidamente. Aqueles com níveis mais baixos eram mais propensos a ter uma infecção e permanecer por mais tempo[25].

Portanto, a vitamina D parece ser crucial para a recuperação de pacientes com doenças em estado crítico.

Uma equipe de pesquisadores israelenses descobriu que as vidas de pacientes internados em unidades de terapia intensiva e colocados sob auxílio de aparelhos naquele país dependia literalmente dos seus níveis de vitamina D. Aqueles com os níveis mais baixos eram mais propensos a morrer, e morrer mais cedo. Dos 130 pacientes críticos estudados, aqueles com os níveis mais altos de vitamina D viveram mais tempo na UTI e tinham melhores níveis de glóbulos brancos para combater a infecção.

O estudo examinou os níveis de vitamina D no sangue no momento da admissão. Dos pacientes analisados, 107 tinham deficiência de vitamina D, com uma média de menos de 15 ng/ml. O estudo analisou as suas taxas de sobrevivência por até sessenta dias. Dos 44% que morreram, aqueles com os mais baixos níveis de vitamina D duraram apenas 15 dias em média, enquanto aqueles que tinham sido admitidos com níveis mais altos de vitamina D viveram em média por 24 dias, e seus corpos demonstraram mais sinais de luta para sobreviver[26].

E o que dizer sobre a nossa relação de amor e ódio com os antibióticos?

Atualmente, a prescrição de antibióticos tradicionais para combater processos infecciosos é habitual na medicina. A utilização de antibióticos nos Estados Unidos custa bilhões de dólares, e o seu uso excessivo persiste e contribui para o surgimento de organismos resistentes. É possível que a vitamina D venha a emergir como um poderoso e até então não reconhecido agente antimicrobiano. Há evidências de que a vitamina D pode ajudar a controlar doenças infecciosas[27].

Superar as infecções causadas por superbactérias, no entanto, não é fácil. A equipe de pesquisa recomendou níveis sanguíneos de vitamina D de pelo menos 95 nmol/L (38 ng/ml) para aumentar a imunidade suficientemente a fim de alcançar uma redução de 50% no risco de infecção por MRSA (*Staphylococcus aureus* resistente a meticilina).

Mais uma vez, a mensagem primordial é: aumente seus níveis de vitamina D antes de você realmente precisar deles em uma crise. Pode ser a diferença entre a vida e a morte.

Concepção, gravidez, infância: por que o seu bebê precisa de vitamina D

"Nossas estatísticas sugerem que ela poderia explicar cerca de 40% de todas as esquizofrenias. É um efeito muito maior do que nós estamos acostumados a ver na pesquisa da esquizofrenia."

– John McGrath, Queensland Brain Institute, 2010.

Você provavelmente já ouviu anúncios de rádio para disfunção erétil. Para os homens, é um pouco como aqueles anúncios dos anos 60 e 70 em que o magro e fraco na praia recebe areia no rosto chutada por um homem grande e musculoso. Poderia até ser o anúncio de um programa de musculação, mas a psicologia por trás da publicidade é a mesma.

A moral da disfunção erétil, no entanto, parece ser que, se o magro e fraco tivesse passado mais tempo sob o sol, ele provavelmente não teria problemas. Do nosso arquivo de notícias não tão boas, vem a de que a vitamina do sol tem sido associada a problemas de desempenho sexual.

A lógica por trás disso é apresentada em um relatório recente publicado na revista médica *Dermato-Endocrinology*, que aponta que metade dos casos de disfunção erétil é causada por problemas de saúde vascular.

Com o papel da vitamina D na manutenção do sistema cardiovascular e no bombeamento de sangue para as extremidades, os pesquisadores dizem que verificar os níveis de vitamina D no sangue é provavelmente uma boa ideia.

"O tratamento escolhido para a disfunção erétil tem sido o uso de inibidores da fosfodiesterase 5, tais como o Viagra", diz o autor do estudo, Marc Sorenson:

> Apesar de ser eficaz no alívio dos sintomas da disfunção erétil, essas drogas não melhoram em nada a causa subjacente e podem perder eficácia ao longo do tempo. Elas também podem esconder dos usuários a possibilidade de existir doença cardiovascular... se ficar comprovado em futuras investigações, a otimização dos níveis de vitamina D tem o potencial de influenciar a causa da disfunção erétil e evitar ou atenuar a condição.

Pode soar como uma piada, mas Sorenson diz que é realmente muito sério. Quando a disfunção erétil aparece, às vezes pode ser um prenúncio de algo muito pior:

> Embora fatores não vasculares, tais como depressão, fadiga, estresse, doença de Parkinson, esclerose múltipla (EM) e medicamentos para hipertensos, possam afetar a função erétil[1], ela é primeiramente uma doença vasculogênica. Sua causa mais predominante é a oclusão arterial da aterosclerose, a qual também afeta as artérias coronárias e pode levar a ataque cardíaco[2] ou, em outras partes do corpo, eventos vasculares, tais como acidente vascular cerebral[3] e doença arterial periférica (DAP)[4].

Pelas mesmas razões pelas quais você tomaria vitamina D para ajudar a manter a saúde cardiovascular, os benefícios de fazê-lo podem na verdade ajudar a evitar a necessidade de uma consulta com o especialista em disfunção erétil.

Além de afetar a sua capacidade de realizar o ato sexual, a vitamina D parece ter outros papéis fundamentais na concepção: formar espermatozoides saudáveis[5] e aumentar a fertilidade[6] e a saúde sexual de homens e mulheres[7]. A vitamina D tem sido associada a níveis mais elevados de testosterona e andrógenos nos homens[8] e é fortemente ligada à saúde reprodutiva das mulheres.

"Existem algumas evidências de que, além dos hormônios esteroides sexuais, os reguladores clássicos de reprodução, a vitamina D também regule processos reprodutivos de mulheres e homens", diz a equipe de pesquisa por trás de uma recente análise[9].

Cerca de 15% dos casais relatam problemas de fertilidade, e de 30% a 40% deles estão relacionados com questões do sexo masculino, incluindo a qualidade do esperma. Mais uma vez, não é nenhuma surpresa ver problemas de fertilidade crescendo após duas décadas de campanha de prevenção contra os raios solares.

Nas mulheres, a vitamina D – que é, na realidade, um hormônio esteroide – reduz a dominância de estrogênio, contribuindo assim para melhorar a fertilidade, bem como para reduzir o risco de câncer de mama[10]. Por outro lado, baixos níveis de vitamina D parecem estar fortemente associados com a infertilidade, como uma equipe da Universidade de Yale descobriu em 2008:

> É importante observar que nem uma única paciente com qualquer distúrbio ovulatório ou síndrome de ovários policísticos demonstrou níveis normais de vitamina D; 39% daquelas com distúrbio ovulatório e 38% daquelas com síndrome de ovários policísticos apresentaram níveis séricos de 25(OH)D consistentes com a deficiência, disse a Dr. Lubna Pal aos jornalistas[11].
>
> Dada a pandemia de insuficiência de vitamina D, se de fato nossas observações forem fundamentadas, a suplementação agressiva com

vitamina D pode emergir como uma abordagem alternativa para facilitar a retomada da ovulação com mínimo ou nenhum risco de síndrome de hiperestimulação ovariana ou gravidez múltipla.

Um assombroso percentual de 93% das mulheres inférteis tratadas pela equipe de Yale era clinicamente deficiente ou insuficiente em vitamina D.

Fóruns de fertilidade na internet estão repletos de mulheres que não conseguem engravidar e cujos obstetras estão agora prescrevendo megadoses de vitamina D (50 mil UI por semana durante várias semanas) para melhorar o nível desta no sangue e aumentar as chances de concepção saudável.

Baixos níveis de vitamina D podem ser associados a abortos no segundo trimestre de gestação[12].

É, no entanto, na gravidez em si que a vitamina D é tão essencial, mas em níveis muito acima daqueles contidos em multivitamínicos pré-natais:

> Durante a gravidez, a suplementação de vitamina D na quantidade padrão atualmente encontrada nas vitaminas pré-natais – 400 UI (10 µg) de vitamina D/dia – tem efeito mínimo sobre as concentrações de 25(OH)D circulando na mãe e seu bebê[13].

Há evidências consideráveis de que os baixos níveis maternos de 25 hidroxivitamina D estão associados com resultados adversos para ambos, mãe e feto, durante a gravidez, bem como para o recém-nascido[14].

Deficiência de vitamina D durante a gravidez tem sido associada com certo número de problemas maternos, incluindo a infertilidade, pré-eclâmpsia, diabetes gestacional e aumento da taxa de cesarianas.

Da mesma forma, para a criança, há uma correlação com peso reduzido, comprometimento do crescimento e problemas ósseos durante a infância, hipocalcemia neonatal e convulsões, além de aumento do risco de transmissão do HIV. Outras associações a doenças na infância incluem diabetes tipo 1 e efeitos sobre a tolerância imunológica.

Você pode incluir a obesidade infantil nessa lista. Ao longo dos últimos trinta anos, temos nos tornado cada vez mais gordos. Agora, um novo estudo está relacionando parte disso aos baixos níveis de vitamina D durante a gravidez.

Pesquisadores da Universidade de Southampton acompanharam as amostras de sangue de 977 mulheres durante a gravidez, comparando-as com os resultados de saúde de seus filhos com 6 anos de idade. Mães com baixos níveis de vitamina D resultaram em bebês com menor peso, mas, ironicamente, em crianças mais gordas aos 6 anos, mesmo após controlados o estilo de vida, a atividade física, o índice de massa corporal e outros fatores[15].

Ainda é muito cedo para saber como, mas os pesquisadores acreditam que há algo sobre a vitamina D que ajuda a bloquear o mecanismo de regulação de gordura no feto em desenvolvimento[16]. Outra possível evidência disso surgiu em um estudo recente de adolescentes seriamente obesos submetidos à cirurgia bariátrica: 54% eram deficientes ou gravemente deficientes em vitamina D. Embora as pessoas obesas sejam rotineiramente pobres em vitamina D, nesse caso a deficiência desempenhou um papel muito significativo; 82% dos adolescentes afro-americanos, 59% dos hispânicos e 37% dos americanos de ascendência europeia no estudo eram deficientes.

"A taxa de obesidade na adolescência nos EUA mais do que triplicou nos últimos trinta anos", relatou um jornal médico no estudo, "com 16% das crianças e adolescentes acima do peso, 4% obesos e 4% com obesidade mórbida."[17]

Como vimos no capítulo sobre a asma, mães com níveis baixos de vitamina D durante a gravidez têm mais probabilidades de ter filhos com asma e/ou alergias comuns. Crianças com níveis de 25(OH)D inferiores a 15 ng/ml são 240% mais propensas a ter uma alergia a amendoim do que crianças com 30 ng/ml de vitamina D, por exemplo[18]. Outro estudo de 2012 relatou que crianças com níveis baixos de vitamina D em seu primeiro ano de vida têm quase quatro vezes mais probabilidades de desenvolver alergias alimentares[19].

Uma ampla avaliação da importância da vitamina D durante a gravidez publicada recentemente, e disponível para leitura na íntegra na internet[20], mostra o quão generalizada é a deficiência na gravidez:

> Relatórios de profunda deficiência entre as mulheres grávidas, aquelas com concentração de 25(OH)D <10 ng/mL (25 nmol/L), são comuns em todo o mundo: 18% das mulheres grávidas analisadas no Reino Unido[21], 25% nos Emirados Árabes[22], 80% no Irã[23], 42% no norte da Índia[24], 61% na Nova Zelândia[25], 89,5% no Japão[26] e 60-84% das mulheres grávidas não ocidentais em Haia, Países Baixos.[27]
>
> Curiosamente, em um estudo recente envolvendo 144 mulheres grávidas na região de Copenhage, avaliadas na 18ª, 32ª e 39ª semanas de gestação, apenas entre 1,4% e 4,3% tinham esse grau de deficiência[28]. Acredita-se que essa taxa reduzida pode estar relacionada com a alta ingestão de peixe. Para as áreas do mundo com maiores taxas de deficiência, parece que o longo período de desconhecimento sobre como a vitamina D é produzida e como a saúde pode ser afetada em curto e longo prazo devido à insuficiência levou à carência generalizada na maioria das populações.

A Nova Zelândia é um dos países que têm levado o conselho para se proteger dos raios solares mais a sério, e a sua severa taxa de 61% de deficiência durante a gravidez pode ser resultado direto de mulheres educadas para evitar o sol. Esses níveis também explicariam o aumento do raquitismo, autismo, asma, déficit de atenção e algumas das outras condições que estamos prestes a ver.

Bons níveis de vitamina D são necessários durante a gravidez para o bom desenvolvimento do esqueleto do seu bebê, o esmalte dos seus dentes, seu crescimento e bem-estar. As mulheres ingerem ácido fólico para prevenir defeitos do tubo neural em seus bebês, como a espinha bífida, mas escondendo-se do sol elas estão deixando seus filhos ainda não nascidos vulneráveis a uma série de outros males.

Por outro lado, recém-nascidos saudáveis, mas com níveis baixos de vitamina D, são seis vezes mais propensos a tornarem-se vítimas de RSV, vírus responsável pelas mais graves infecções do trato respiratório inferior (bronquiolite) em bebês[29].

Se a deficiência de vitamina D de uma mulher é grave enquanto ela está grávida, ela corre um elevado – embora raro – risco de que o seu bebê venha a ter convulsões hipocalcêmicas no útero.

Como já vimos, a falta de vitamina D durante a gravidez pode levar ao autismo, e novas pesquisas incluíram a esquizofrenia nessa lista. Um estudo feito em 2010 com 424 dinamarqueses que sofrem de esquizofrenia os comparou com um grupo de controle de 424 pessoas do mesmo gênero e com a mesma data de nascimento, mas sem esquizofrenia.

Usando amostras de sangue colhidas no nascimento e armazenadas, os pesquisadores foram capazes de saber os níveis de vitamina D de todos os bebês ao nascer. Eles descobriram que aqueles bebês com baixos níveis da vitamina D eram duas vezes mais propensos a desenvolver esquizofrenia no decorrer da vida[30].

"Nossas estatísticas sugerem que isso poderia explicar cerca de 40% de todas as esquizofrenias. É uma influência muito maior do que nós estamos acostumados a ver na pesquisa da esquizofrenia", o pesquisador-chefe John McGrath, do Instituto do Cérebro de Queensland, na Austrália, disse a repórteres[31].

Há outros fatores em jogo na esquizofrenia, principalmente genéticos[32] e ambientais[33], mas, assim como no autismo, parece que níveis baixos de vitamina D podem deixar o corpo de seu filho mais vulnerável a qualquer coisa que possa acionar o interruptor e trazer esses outros fatores ao jogo.

Houve um resultado inesperado desse estudo em particular, semelhante ao descoberto naquele outro estudo escandinavo – o dos fumantes finlandeses. Da mesma forma, a equipe de pesquisa da esquizofrenia descobriu que aqueles com os mais altos níveis absolutos de vitamina D pareciam começar a elevar novamente o risco de esquizofrenia. Na análise estatística, isso é conhecido como "curva em forma de U", na medida em que, se você segue o U, o risco vai caindo, mas volta a subir em algum ponto.

Os pesquisadores dos dados dinamarqueses não foram capazes de descobrir por que isso aconteceu. Eles suspeitam que pode haver uma variação genética na amostra dos escandinavos, em que um certo número de pessoas pode ter alto nível de vitamina D circulando no sangue, mas uma mutação impede a conversão dela na forma biologicamente ativa da vitamina D, aquela realmente utilizada pelos órgãos. Em outras palavras, seu sistema de processamento de vitamina D não está funcionando corretamente – eles têm uma grande quantidade de vitamina no tanque, mas o tubo de drenagem está bloqueado. Eles apareceriam na amostra com níveis elevados da vitamina, mas não estariam obtendo os benefícios dela, o que poderia explicar o risco crescente aparente[34].

É um procedimento de prevenção, no entanto, e mais uma razão para ter seus níveis de vitamina D verificados regularmente pelo seu médico durante a gravidez, para garantir que não estejam nem baixos nem excessivamente altos. Já que o esqueleto do bebê é formado pela retirada de minerais a partir dos ossos da mãe, uma grande quantidade da vitamina D adquirida por uma mulher grávida será utilizada para ajudar a repor esses minerais, além de completar o desenvolvimento do cérebro do seu filho.

O estudo da esquizofrenia, como os estudos anteriores do autismo, descobriu que bebês nascidos de mães de pele escura são muito mais propensos a desenvolver a doença mental. Os pesquisadores acreditam que a descoberta de um fator de luz solar poderia ter enormes implicações para a nossa sociedade, como o principal autor McGrath observa:

Por exemplo, em grupos étnicos de pele escura que vivem em países frios, existe um risco substancialmente aumentado de esquizofrenia[35]. Kirkbride e Jones[36] estimaram que, se os fatores de risco a serem identificados como inerentes ao aumento das chances de ter esquizofrenia em grupos minoritários étnicos de negros vivendo na Inglaterra pudessem ser detectados e prevenidos, poderia ser viável reduzir a incidência de esquizofrenia nesse grupo em até 87%[37]. Enquanto há muito mais trabalho a ser feito, se estudos futuros confirmarem a associação entre a deficiência de vitamina D durante o desenvolvimento e o risco de esquizofrenia, isso aumentará a tentadora perspectiva de prevenção primária desse grupo de desordens incapacitantes do cérebro de uma maneira comparável com a suplementação de ácido fólico e a prevenção da espinha bífida.

Além do seu trabalho no cérebro em desenvolvimento, a vitamina D pode oferecer proteção de outras maneiras, como aumentando a imunidade. Estudos têm mostrado que as mulheres grávidas que contraem gripe têm mais riscos de ter um filho esquizofrênico, portanto, uma vitamina que reduz o risco da gripe na mãe também pode estar reduzindo o risco de doença mental em seu filho. O estudo mais importante até a data sobre o tema revela que contrair gripe no primeiro trimestre de gravidez traz um aumento de risco de 700%:

> O risco de esquizofrenia foi aumentado em sete vezes por exposição à gripe durante o primeiro trimestre de gravidez. Não houve aumento do risco de esquizofrenia por gripe durante o segundo ou terceiro trimestres. Com a análise de um período de exposição gestacional mais amplo – do início a meados da gravidez – o risco de esquizofrenia aumentou em três vezes[38].

As mães devem ter em mente, no entanto, que o risco global de esquizofrenia é de aproximadamente um em cem. Como já vimos, a prevalência do autismo é geralmente ainda maior, até uma em sessenta em alguns países, de forma que há muitas boas razões para garantir que a ingestão de vitamina D seja adequada.

Após o nascimento, há também razões semelhantes para continuar dando a seus filhos suplementos de vitamina D adequados:

> A suplementação de vitamina D durante o primeiro ano de vida está associada a um risco reduzido de esquizofrenia em homens. A prevenção de hipovitaminose D [baixo nível de vitamina D] durante o início da vida pode reduzir a incidência de esquizofrenia[39].

Para os pais imaginando como dar suplementos de vitamina D para bebês ou crianças, as cápsulas D3 podem simplesmente ser abertas e o conteúdo misturado com alimentos ou leite, de acordo com o gosto.

Então, que quantidade de vitamina D é segura para uma mulher grávida ingerir como suplemento? A dose de 400 UI ou 500 UI presente na maioria dos multivitamínicos para grávidas praticamente não tem efeito em estudos científicos. Um estudo duplo-cego randomizado sobre a segurança da vitamina D durante a gravidez acaba de ser concluído. Testou centenas de mães com suplementos de 400 UI, 2.000 UI e 4.000 UI diariamente e descobriu que a dose de 400 UI falhou em elevar os níveis no sangue até o mínimo recomendado de 80 nmol/L (32 ng/mL).

> Nem um único evento adverso foi atribuído à suplementação de vitamina D ou aos níveis de 25(OH)D em circulação. Concluiu-se que a suplementação de vitamina D de 4.000 UI/dia para as mulheres grávidas é segura e eficaz para alcançar a suficiência em todas as mulheres e seus recém-nascidos, independentemente de raça, considerando que a atual necessidade média estimada (400 UI) é comparativamente ineficaz na obtenção de concentração adequada de 25(OH)D na circulação, especialmente em afro-americanas[40].

A dose de 4.000 UI conseguiu trazer as mulheres até uma média de 50 ng/ml (125 nmol/L) – próximo ao equivalente que os adultos devem obter com exposição solar adequada. Além de minimizar o risco de doenças como algumas das listadas acima, bons níveis de vitamina D na gravidez parecem ajudar a placenta a aprimorar o sistema imunológico do bebê[41].

Mulheres grávidas com baixos níveis de vitamina D têm até quatro vezes mais probabilidades de acabar por ter uma cesariana em vez de um parto normal[42]. Baixos níveis de vitamina D estão ligados à pré-eclâmpsia e a bebês menores do que o habitual[43]. Os testes em humanos em alguns aspectos da investigação sobre a vitamina D são impossíveis devido a considerações éticas. Por exemplo, os pesquisadores podem usar camundongos e ratos fêmeas grávidas para fazer experimentos – deixando-os completamente sem vitamina D, por um lado, ou os colocando sob lâmpadas UV por longos períodos de tempo, por outro – para testar teorias sobre como funciona a vitamina D. Eles não podem realizar tais estudos em mulheres grávidas.

Por essa razão, quando as autoridades de saúde exigem mais provas por meio de "pesquisas aleatórias controladas com humanos", às vezes elas estão pedindo por algo que nunca poderá ser feito. A pesquisa nas áreas essencialmente perigosas só será observada após o fato.

No entanto, o que os cientistas estão descobrindo em estudos com animais é que camundongos prenhes com baixo nível de vitamina D têm maus resultados em seus descendentes[44]:

> Esse modelo animal é consistente com a hipótese de origem fetal, primeiramente articulada por David Barker, que postula que a programação fetal epigenética no útero, como resultado de eventos ambientais durante a gravidez, induz genes específicos e caminhos genômicos que controlam o desenvolvimento fetal e as chances de doenças subsequentes[45]. Essa hipótese foi aplicada inicialmente a distúrbios normalmente ocasionados em adultos, tais como diabetes

mellitus tipo 2, obesidade e doenças cardíacas, mas é particularmente aplicável para asma, já que o chiado recorrente é prevalente no início da vida, e a maioria dos diagnósticos de asma ocorre até os 6 anos de idade. Nós acreditamos que muitas, se não a totalidade, das hipóteses da origem fetal são mediadas pela vitamina D, uma vez que ela tem uma influência conhecida em todos os distúrbios acima citados.

Sem usar linguagem médica, as implicações são graves: o que acontece no útero por causa da falta de vitamina D pode afetar uma criança para o resto da vida.

"O papel da vitamina D durante a gravidez e seus efeitos sobre a saúde materna e fetal estão apenas começando a ser entendidos", conclui Carol Wagner em sua revisão:

> Nos últimos cinco anos, tem havido uma explosão de dados publicados relativos aos efeitos imunológicos da vitamina D, no entanto, pouco ainda se sabe a respeito desses efeitos especificamente durante a gravidez.
>
> O que está claro, porém, é que a deficiência de vitamina D durante a gravidez é galopante em todo o mundo, incluindo países como os Estados Unidos e a Grã-Bretanha. Embora ainda exista muito a ser descoberto e aprendido sobre o efeito da vitamina D sobre a mãe e seu feto em desenvolvimento, já existem provas suficientes para apoiar a premissa de que a deficiência não é saudável nem para a mãe nem para o feto.

Uma ilustração do quanto a vitamina D desempenha papel importante na gravidez e na infância chegou às manchetes de notícias em 2012:

> A época em que um bebê nasce aparentemente influencia o risco de desenvolver transtornos mentais mais tarde na vida, sugere um

grande novo estudo. A temporada de nascimento pode afetar tudo, desde a visão e os hábitos alimentares até defeitos de nascimento e personalidade na vida adulta. Pesquisas anteriores também deram a entender que a temporada em que se nasce pode afetar a saúde mental[46].

A fonte dessa história é um estudo publicado em abril de 2012 que examinou os registros médicos de 29 milhões de britânicos, incluindo um estudo de grupo específico com 58 mil pacientes de esquizofrenia, transtorno bipolar e depressão recorrente. O que eles descobriram é que todos os principais transtornos mentais podem ser atrelados à estação de nascimento[47].

Esquizofrenia e transtorno bipolar, por exemplo, são mais frequentemente encontrados em residentes britânicos nascidos em janeiro, no auge do inverno no norte, e menos frequentemente encontrados em pessoas nascidas em julho, agosto e setembro, no verão do hemisfério norte.

A depressão bate o recorde em maio – a primavera no norte –, com o menor número de casos entre pessoas nascidas em novembro. À primeira vista, isso parece entrar em conflito com a teoria da vitamina D, mas os pesquisadores dizem que é facilmente explicado – o desenvolvimento do cérebro fetal pode precisar de vitamina D em momentos diferentes. Esquizofrenia e padrões bipolares podem ser definidos no primeiro trimestre, que, para os bebês nascidos no inverno, ocorre na primavera anterior, quando a vitamina D materna atingiu o fundo do poço. Depressão, por outro lado, pode resultar de uma falta de vitamina D no segundo ou no terceiro trimestre, que, para os nascidos em maio, coincide com o inverno.

"Nascimentos com esquizofrenia mostraram a sazonalidade mais marcante", informou o estudo. "Esses resultados também são consistentes com os de um estudo prévio inglês de pacientes esquizofrênicos nascidos entre 1921 e 1960, indicando que o efeito da temporada do nascimento é uma característica estável da esquizofrenia."

As chances de terem nascido no inverno para pacientes com esquizofrenia eram 17% maiores do que de terem nascido no verão. Obviamente as pessoas que passam a desenvolver a doença mental estão nascendo durante todo o ano, mas, se a maioria das mães é clinicamente deficiente ou insuficiente em vitamina D o tempo todo, então isso não é nenhuma grande surpresa. O que o estudo mostra é que o verão do hemisfério norte dá vitamina D suficiente para que algumas mães possam salvar suas crianças de um risco aumentado.

Infelizmente, a falta de vitamina D durante a gravidez é como deixar a casa aberta. Não se sabe se um ladrão escolherá a sua casa para invadir naquele dia em particular, mas, se o fizer, a encontrará sem defesas. Isso é o que um aumento de risco significa; não é a certeza de que o destino [sob a forma de um gatilho ambiental] o golpeará, mas uma maior possibilidade. Com os pesquisadores agora sugerindo que a deficiência de vitamina D no útero e na infância poderia ser responsável por 44% dos casos de esquizofrenia, a solução pode estar nas mãos das mães em todos os lugares.

A confirmação britânica de que a doença mental está relacionada com a estação de nascimento segue estudos semelhantes dos Estados Unidos, que fizeram a mesma descoberta[48].

Mais tragicamente, os pesquisadores descobriram que o suicídio segue o mesmo padrão, com pessoas nascidas em abril/maio no hemisfério norte mais propensas a acabar com as próprias vidas, e as pessoas nascidas em outubro/novembro com menor probabilidade – muito semelhante à distribuição sazonal para a depressão[49]. Pensar que uma vitamina, e o fato de você obter o suficiente dela ou não enquanto estiver no ventre de sua mãe, pode ter um impacto tão grande em sua vida é muito significativo, para dizer o mínimo.

Uma área em que a vitamina D não parece ter impacto sobre as crianças saudáveis é na sua capacidade acadêmica. Enquanto o poder da vitamina para impulsionar os cérebros de pessoas mais velhas e, particularmente, doentes de Alzheimer é inegável, novos estudos têm mostrado que ela não tem o mesmo efeito sobre os adolescentes.

Não se sabe se isso ocorre porque seus corpos estão sendo inundados com outros hormônios e influências. O que sabemos é que um estudo britânico descobriu que os adolescentes de origem mais abastada tinham níveis mais elevados de vitamina D3 (que podem ser obtidos a partir de luz solar ou suplementos específicos D3) enquanto as crianças oriundas de meios desfavorecidos tendem a ter a variedade D2, proveniente de alimentos.

Quando os resultados dos exames do ensino médio foram avaliados de acordo com os seus níveis de vitamina D, não houve diferença entre os grupos[50].

Continuem tomando as pílulas de ômega-3, crianças.

Doenças mentais

"A deficiência e a insuficiência de vitamina D são altamente predominantes em adolescentes com doença mental grave."

- BMC Journal of Psychiatry, 2012.

Nós vimos, no capítulo anterior, como a falta de vitamina D durante a gravidez pode aumentar o risco de uma criança desenvolver doenças mentais. A boa notícia é que, em alguns casos, a vitamina D pode ajudar a manter a doença mental sob controle.

A conferência *Endocrine Society,* nos EUA, ouviu como um grupo de três mulheres previamente diagnosticadas com grave transtorno depressivo teve suas vidas transformadas pela vitamina do sol. Todas estavam sob uso de antidepressivos e tinham condições médicas subjacentes, incluindo diabetes tipo 2 ou uma disfunção da tireoide.

Exames de sangue mostraram que os seus níveis de vitamina D haviam caído para a faixa entre 8,9 ng/ml e 14,5 ng/ml – no território deficiente e seriamente deficiente. Após dois a três meses de suplementação de vitamina D, seus níveis séricos de 25(OH)D foram restaurados para uma saudável faixa de 32 ng a 38 ng/ml.

Usando o *Beck Depression Inventory*, um levantamento de 21 pontos que avalia os níveis de depressão e tristeza, uma paciente mudou de depressão grave clínica (32 pontos no início do estudo) para depressão leve (12 pontos) na conclusão. Outra caiu de 26 pontos (depressão moderada) para 8 pontos (depressão clinicamente mínima), enquanto a terceira paciente mudou de moderada a leve.

Sonal Pathak, o endocrinologista americano que apresentou o estudo, diz que as implicações são fascinantes e importantes:

> A vitamina D pode ter um efeito ainda não comprovado sobre o humor, e a sua deficiência pode exacerbar a depressão... Fazer a triagem de pacientes deprimidos em risco para encontrar a deficiência de vitamina D e tratá-la adequadamente pode ser um complemento fácil, eficaz e de baixo custo para terapias convencionais contra a depressão[1].

O impacto da deficiência de vitamina D é generalizado. Um estudo da Nova Zelândia descobriu que a deficiência é comum em pacientes psiquiátricos internados, esquizofrênicos e em especial nos doentes predominantemente de pele mais escura.

A pesquisa, liderada por David Menkes na Clínica Escola Waikato, revela que 91% dos 102 pacientes internados estudados tinham nível abaixo do ideal (menos de 30 ng/ml) ou deficiente de vitamina D. Subdivididos ainda mais, 74% estavam abaixo de 20 ng/ml (50 nmol/L), e 19% tinha menos de 10 ng/mL (25 nmol/L).

Esquizofrênicos eram mais propensos a ser gravemente deficientes – 34% deles caíram no grupo com níveis mais baixos, comparados com 9% do resto. Os pacientes com transtorno bipolar, ainda que deficientes com 19,8 ng/ml, apresentaram os maiores níveis médios de vitamina D na amostra.

"A predominância observada de deficiência de vitamina D em nossa população de internação psiquiátrica apoia a ideia de que a suplementação deve ser mais geralmente disponível e, talvez, rotineiramente prescrita, dado o seu baixo custo, ausência de efeitos colaterais e múltiplos benefícios potenciais", escreveu Menkes no estudo[2].

Um estudo americano demonstrou resultados semelhantes. De 104 adolescentes que recebiam tratamento agudo de saúde mental, 34%

tinham menos de 20 ng/ml de vitamina D no sangue, 38% estavam abaixo do ideal (entre 20 ng/ml e 30 ng/ml) e 28% estavam com nível normal.

Adolescentes com comportamento psicótico tinham três vezes e meia mais chances de estarem na faixa mais baixa de vitamina D.

"A deficiência e a insuficiência de vitamina D são altamente prevalentes em adolescentes com doença mental grave", concluíram[3].

Esclerose múltipla

"Existem fortes evidências de que a concentração de vitamina D durante o final da adolescência e o início da vida adulta desempenha papel importante na determinação dos riscos de esclerose múltipla."

- Lancet Neurology, 2010.

Durante muito tempo, já é de conhecimento público que o número de casos de esclerose múltipla cresce quanto mais ao norte ou ao sul do Equador você vá. A doença, à medida que progride, proporciona às pessoas crescente desconforto e dor, causados pelos danos infligidos aos nervos. Essas pessoas vivem, em média, de cinco a dez anos menos. Segundo a minha experiência pessoal, é pior do que isso: Fiona, uma colega de TV da Nova Zelândia, irmã de um diretor de cinema de Hollywood, faleceu em julho de 2012 após uma longa batalha contra a esclerose múltipla – ela tinha sido diagnosticada no início de 1990, se bem me lembro, quando nós estávamos trabalhando juntos. Ela tinha apenas 50 anos.

A história de Fiona não é única. Ela foi uma dos milhões de vítimas em todo o mundo. A Escócia tem a maior taxa *per capita* da doença, com uma em cada quinhentas pessoas afetadas. É uma doença neurológica, decorrente da deterioração da mielina, uma bainha de gordura protetora encontrada em torno dos axônios no cérebro e na medula espinhal. A mielina ajuda os nervos a enviarem mensagens através do corpo, por isso, quando se decompõe, é como a tela azul em um computador: o sistema começa lentamente a funcionar mal, cada vez mais frequentemente. Nos estágios iniciais, o desconforto pode ser um leve formigamento, mas no final ele pode ser cegueira, paralisia e morte.

Com uma clara expansão norte-sul, não demorou muito para que os investigadores fizessem a pergunta óbvia: a esclerose múltipla é causada pela falta de vitamina D?[1]

Para começo de conversa, a doença – assim como a doença mental – pode ser correlacionada com a estação do nascimento. Pacientes do hemisfério norte são mais propensos a ter nascido em meados de maio e têm menos probabilidade de ter nascido em novembro – a mesma variação de sazonalidade encontrada para a depressão[2].

Um estudo de 2006 de militares dos EUA, com base em amostras de sangue de rotina, comparou os resultados com diagnósticos posteriores e encontrou uma queda acentuada de casos de esclerose múltipla quanto mais altos os níveis sanguíneos de vitamina D.

Devido ao fato de o grupo pesquisado estar servindo na ativa, as amostras já tinham níveis de vitamina D maiores do que a média. Por exemplo, os 20% com nível mais baixo tinham vitamina D abaixo de 63,3 nmol/L (25,3 ng/ml), o que caracteriza um valor inferior muito mais saudável do que os pacientes psiquiátricos desfrutam.

No entanto, o estudo dos EUA descobriu que os militares com os níveis mais altos, acima de 99 nmol/L (39,6 ng/L), reduziram seu risco de desenvolver esclerose múltipla em 62%[3].

Outro estudo descobriu que as crianças que brincaram por mais tempo na rua diariamente durante o verão, entre as idades de 6 e 15 anos, reduziram seu risco de desenvolver esclerose múltipla em incríveis 69%. Os pesquisadores descobriram que era ainda mais importante garantir que as crianças se expusessem ao sol também durante o inverno – outro indício de que a vitamina D era um importante fator[4].

Dermatologistas e especialistas da pele podem odiar a ideia, mas os pesquisadores descobriram, independentemente disso, que as pessoas com maiores danos à pele causados pela exposição ao sol eram muito menos propensas a contrair esclerose múltipla do que pessoas com pele de pêssego – um risco 68% menor.

Para as crianças que desenvolvem esclerose múltipla, o estado de concentração de vitamina D demonstra ter grande impacto sobre os intervalos entre as recidivas. Para cada 10 ng/ml de aumento nos níveis de vitamina D no sangue, o risco de uma recaída diminuiu 34%, de acordo com um estudo americano[5]. As mães que beberam mais leite fortificado durante a gravidez demonstraram reduzir o risco de esclerose múltipla em seus filhos em 43%[6].

Toda a atenção sobre a vitamina D faz sentido agora, à luz do último grande estudo lançado. Cientistas da Universidade de Oxford descobriram o que eles acreditam ser uma das "principais causas para a esclerose múltipla", e que acaba por ser um gene que causa a deficiência de vitamina D[7].

"O estudo examinou o DNA de um grupo de pessoas com esclerose múltipla que também têm um grande número de membros da família com a doença", diz Christina Galbraith, porta-voz da Fundação Jeffrey Epstein VI, que cofinanciou a pesquisa de Oxford com a Sociedade de Esclerose Múltipla:

> Todas as amostras de DNA mostraram uma distorção do gene CYP27B1, que controla os níveis de vitamina D no organismo. Apesar dessa relação fundamental, nem todas as pessoas com deficiência de vitamina D desenvolveram esclerose múltipla. No entanto, uma distorção do gene CYP27B1 é cada vez mais evidente em casos de EM, e é possível que o gene cause outras complicações, ainda não detectadas, que conduzam à doença.

Isso, naturalmente, reforça o argumento, que você encontrou repetidamente neste livro, que afirma que, embora possa haver pontos de gatilho ambiental para várias doenças, nós somos mais vulneráveis a esses gatilhos quando nossos níveis de vitamina D estão baixos.

No caso da esclerose múltipla, pode ser que algumas pessoas a desenvolvam em razão de uma simples falta de vitamina D somada à introdução de um gatilho, enquanto outras podem desenvolvê-la porque seus genes não lhes permitem processar a vitamina D adequadamente, deixando-as, assim, também vulneráveis quando um gatilho aparece. O tratamento e a prevenção para cada grupo podem envolver estratégias diferentes.

Nesse meio-tempo, os pesquisadores dizem que a evidência é quase esmagadora, e já é hora de estudos sérios sobre a questão:

A suplementação de vitamina D em indivíduos saudáveis está emergindo como uma abordagem promissora para a prevenção da esclerose múltipla. A exposição no útero e no início da vida também pode ser importante, mas há fortes evidências de que as concentrações de vitamina D durante o final da adolescência e início da vida adulta têm um efeito importante na determinação do risco de EM[8].

Com base nos resultados do único estudo longitudinal de soro de 25-hidroxivitamina D e desencadeamento de esclerose múltipla[9], assumindo que esses resultados são imparciais e que a vitamina D é verdadeiramente um agente de proteção em relação à EM, mais de 70% dos casos de EM nos EUA e na Europa poderiam ser evitados por meio do aumento da concentração sérica de 25-hidroxivitamina D de adolescentes e jovens adultos para taxas acima de 100 nmol/L[10]. Essas concentrações são comumente encontradas apenas em indivíduos com estilos de vida ao ar livre em regiões ensolaradas, mas poderiam ser alcançadas na maioria das pessoas com a administração diária de 1.000 a 4.000 UI de colecalciferol[11].

Considerando que futuros estudos epidemiológicos observacionais e investigações genéticas e moleculares serão úteis para fortalecer e aperfeiçoar o equilíbrio dessa hipótese, a evidência clínica se aproxima da condição de "equipoise"[12], em que a decisão mais séria poderia ser a de realizar um grande estudo aleatório para estabelecer a segurança e a eficácia necessárias para promover a suplementação de vitamina D em larga escala.

Embora a evidência substancial sustente a segurança de grandes doses de vitamina D, tal evidência é baseada em estudos de tamanho e duração limitados que foram feitos principalmente em adultos mais velhos. Um teste da hipótese de que a vitamina D poderia reduzir o risco de esclerose múltipla vai exigir a administração de doses relativamente altas de vitamina D para centenas de milhares de jovens adultos por vários anos, e uma monitorização cuidadosa dos efeitos adversos imprevistos é obrigatória.

Dada a complexidade financeira, logística e científica e a limitada experiência da sociedade com experimentos de grande escala com a população, sugerimos que um grupo de trabalho multidisciplinar internacional seja criado para supervisionar a concepção dos estudos de prevenção ou de suplementação futuras.

Para os pesquisadores, afirmar que eles estão chegando ao princípio de "equipoise" na prevenção da esclerose múltipla é um grande avanço, visto com muito ânimo. Um desses testes em humanos teve início na Nova Zelândia e na Austrália – tarde demais para salvar minha colega Fiona, mas ainda cedo para salvar outros.

Esse estudo de quatro anos, PrevANZ, está testando doses de vitamina D em três níveis diferentes – 1.000 UI diariamente, 5.000 UI e 10.000 UI, assim como placebo; 290 pessoas que já sofreram o primeiro ataque do precursor neurológico da esclerose múltipla, conhecido como "síndrome clinicamente isolada", estão participando. Pesquisadores vão analisar as doses de segurança ao longo dos quatro anos, bem como sua eficácia para reduzir as recaídas e as lesões da esclerose múltipla, que são visíveis em exames de ressonância magnética.

A escolha para os leitores está entre esperar quatro anos para descobrir ou começar a tomar uma dose elevada de vitamina D, diariamente, depois de falar com o seu médico, baseando-se na promoção da boa saúde óssea e na chance de que os pesquisadores estejam absolutamente certos sobre o efeito protetor da vitamina D.

Aqueles com maior risco de esclerose múltipla relacionada à deficiência de vitamina D são os adolescentes e jovens adultos.

Doença de Crohn e diabetes tipo 1

"As mulheres com níveis baixos de vitamina D durante a gravidez têm o dobro do risco de dar à luz uma criança diabética, quando comparadas com as mulheres cujos níveis de vitamina D são altos."

- Diabetes, 2012.

Outra doença com um gradiente norte-sul é a doença de Crohn, uma doença autoimune debilitante do trato gastrointestinal que faz com que o corpo ataque a si mesmo. Embora as pessoas com idade entre 15 e 35 anos sejam as mais vulneráveis, ninguém está a salvo, e outra faixa etária na qual ela ataca é a faixa entre os 50 e 70 anos de idade.

Como a EM, cerca de uma em cada quinhentas pessoas são afetadas por ela, e também como a EM e praticamente todas as outras doenças sobre as quais você leu neste livro, há uma relação inversa entre o nível de vitamina D e o risco de doença de Crohn ou da sua outra forma, a colite ulcerativa.

Um estudo realizado nos EUA descobriu que mulheres com mais de 40 anos de idade com os mais altos níveis de vitamina D no sangue (acima de 32 ng/ml ou 80 nmol/L) reduziram sua chance de sofrer de Crohn em 62%[1]. Já é sabido há um longo tempo que as pessoas com Crohn têm níveis particularmente baixos de vitamina D, por isso, um par de recentes estudos clínicos aleatórios testou suplementos de vitamina D em pacientes para ver se eles poderiam evitar recaídas.

Um estudo de 2010 deu a 94 pessoas uma dose de 1.200 UI de D3 por dia ou um placebo por um período de um ano. Todos eles tinham doença de Crohn e estavam na época em um período de remissão. O objetivo do estudo era descobrir qual grupo permaneceria mais tempo em remissão[2]; 29% no grupo de placebo tiveram recaída dentro de um ano. Apenas 13% do grupo da vitamina D3 tiveram recaída no mesmo período, efetivamente uma redução de risco de quase 70% – mais de dois terços.

Um estudo aleatório menor com quinze pacientes de Crohn nos EUA que não estavam em remissão descobriu que altas doses de vitamina D (10.000 UI diariamente durante 26 semanas) não só elevaram os níveis de vitamina D substancialmente, mas também começaram a conduzir os pacientes à remissão mais rapidamente do que aqueles que receberam apenas 1.000 UI por dia[3].

"Essa única suplementação nutricional teve um impacto clínico real, sem qualquer toxicidade", disse o pesquisador-chefe Brian Bosworth em uma reunião da Escola Americana de Gastroenterologia.

Acredita-se que uma das maneiras pelas quais a vitamina D age seja como estimulante do sistema imunológico. Ela tem a capacidade de forçar o corpo humano a produzir grandes quantidades de antibióticos naturais que podem ser utilizados pelo sistema de defesa do corpo e por um tipo de células brancas do sangue – os macrófagos – nos seus ataques a organismos invasores.

"O efeito efetivo dessas ações é apoiar o aumento da morte bacteriana em uma variedade de tipos de células. A eficácia de tal resposta é altamente dependente do nível de vitamina D", relata o pesquisador Martin Hewison na revista *Nature*. "A importância potencial desse mecanismo como um fator determinante da doença humana é destacada pelo aumento da consciência da insuficiência de vitamina D em todo o mundo."[4]

O fato de que a doença de Crohn é uma enfermidade autoimune e de que quase todos aqueles que sofrem dela invariavelmente apresentam baixos níveis da vitamina e de que a vitamina é essencial para a regulação do nosso sistema imunológico propicia o que é chamado de "plausibilidade biológica" para a ideia de que o 25(OH)D pode afetar a doença de Crohn. Claramente, ele o faz. O "porquê" permanece sob investigação.

Diabetes

Outra desordem autoimune associada com o baixo nível de vitamina D é o diabetes tipo 1. Essa é a variante que muitas vezes começa na infância, que costumávamos chamar de "diabetes do açúcar", porque o corpo perde sua capacidade de produzir insulina, e as crianças precisam de injeções diárias.

Como a doença de Crohn, a esclerose múltipla e outras doenças semelhantes, o diabetes tipo 1 também mostra padrões geográficos e sazonais de distribuição. Com todas essas pistas agora reveladas, o que os cientistas aprenderam?

Para começar, há evidências claras de que dar ao seu filho vitamina D regularmente – quer seja por meio da luz solar, suplementação ou uma combinação de ambos – reduz significativamente o risco de ele se tornar diabético. Um estudo publicado na *Lancet* descobriu que os pais que deram às suas crianças regularmente uma dose de 2.000 UI de vitamina D reduziram as suas chances de diabetes tipo 1 em 78%[5].

Em outro estudo de metanálise, que não especificou as doses, as crianças suplementadas com vitamina D de qualquer tipo e em qualquer quantidade reduziram seu risco de diabetes em 29%[6].

O efeito protetor deve, idealmente, começar na gravidez. Um estudo recentemente publicado revela que as mulheres com níveis baixos de vitamina D durante a gravidez têm o dobro do risco de dar à luz uma criança diabética quando comparadas com as mães cujos níveis de vitamina D são elevados[7].

"O diabetes tipo 1 é uma doença autoimune que constitui uma das doenças crônicas mais comuns na infância. Com a exceção de certos genes de susceptibilidade, as causas do diabetes tipo 1 são essencialmente desconhecidas", informou o estudo.

É o primeiro estudo do mundo a relacionar diretamente a falta de vitamina D durante a gravidez a um risco significativo de diabetes tipo 1 e desafia algumas pesquisas anteriores, mas os autores do estudo dizem que seu processo foi mais a fundo: "Esses estudos anteriores não são diretamente comparáveis com o nosso, porque nós não temos medido apenas o 25(OH)D maternal, mas também acompanhamos os filhos até os 15 anos de idade, com relação ao início do diabetes do tipo 1".

O tamanho do seu estudo era formidável. Amostras de sangue retiradas de mais de 30 mil mães norueguesas há vinte anos foram armazenadas, reanalisadas e comparadas com os resultados de seus bebês. Sendo uma doença de notificação obrigatória na Noruega, foi fácil para os investigadores identificar praticamente todas as crianças que tinham desenvolvido diabetes até os 15 anos de idade e fazer o caminho inverso até as amostras de sangue das suas mães.

Protetor solar: um perigo claro e presente

"Utilizar protetor solar não tem demonstrado prevenir melanomas ou carcinomas basocelulares."

- Academia Americana de Pediatria, 2011.

Parece uma mensagem tão fácil de vender: proteja-se do sol. A ideia de usar uma loção química para bloquear os prejudiciais raios UV como principal método de proteção do sol tem um apelo simples. Claramente, as pessoas que utilizam protetor solar não se queimam e podem facilmente detectar a conveniência e os benefícios à saúde com resultados práticos e visíveis. Nessa medida, o protetor solar se vende pois os usuários se tornam dependentes dele para ajudar a manter um estilo de vida ao ar livre para si e suas famílias. Mas e quanto à questão de que há evidência científica forte de que protetores solares na verdade não funcionam contra os cânceres de pele mais perigosos e podem conter partículas tóxicas que causam câncer e outros danos genéticos?

Antes, um pouco de história.

Em 1935, sua chance de desenvolver melanoma durante a vida estava em torno de 1:1.500. Atualmente, o risco de melanoma subiu para 1:33[1]. Por que esse enorme aumento?

O primeiro protetor solar comercial foi inventado em 1938 pelo estudante de química Franz Greiter, que supostamente teve uma queimadura solar ao escalar o monte Piz Buin nos alpes suíços, o que o inspirou a desenvolver uma loção protetora.

Também da série "a necessidade é a mãe da invenção", o recruta americano da Segunda Guerra Mundial Benjamin Green – aparentemente cansado de se queimar enquanto lutava no Pacífico – desenvolveu seu próprio protetor solar independentemente em 1944, à base de vaselina vermelha, que mais tarde se tornou a base para a Coppertone desenvolver sua linha de protetores solares.

Você não vai encontrar os ingredientes utilizados nesses primeiros protetores solares em nenhum dos produtos disponíveis hoje em dia. O ácido para-aminobenzoico – ou PABA –, por exemplo, foi patenteado em 1943 e, embora seja uma boa barreira UVB muitas vezes utilizada em protetores solares e cosméticos para as mulheres, degrada-se quando exposto à luz solar e pode ser cancerígeno em determinadas circunstâncias, conforme descoberto posteriormente[2], o que, de alguma maneira, vai contra a sua finalidade. É proibido na Europa e não mais usado em muitas outras regiões.

Os protetores solares passaram por múltiplas formulações na tentativa da loção perfeita, mas até agora ninguém acertou. Há duas variedades disponíveis para os consumidores, loções de base orgânica ou de base mineral. Os filtros solares derivados de orgânicos contam com os seguintes[3] compostos químicos aprovados pela FDA:

- Cinoxato
- Ensulizole
- Homosalate
- Octinoxate
- Octocrileno
- Padimate O
- Ácido para-aminobenzóico (PABA)

- Trolamine

Esses compostos recentemente enumerados só são eficazes contra a radiação UVB. Eles não vão bloquear qualquer radiação UVA.

Há mais um subconjunto de moléculas orgânicas que os fabricantes de filtros solares descobriram ter efeito limitado sobre os raios UVA:

- Dioxibenzona
- Oxibenzona
- Sulibenzone

Esses produtos químicos são eficazes contra as radiações UVB e UVA-2, mas não são eficazes contra frequências UVA-1. A *L'Oreal* desenvolveu alguns produtos químicos que são eficazes apenas contra os raios UVA-2 (mais uma vez, de forma limitada), mas só há um composto orgânico aprovado nos EUA que é completamente eficaz contra a radiação UVA-1: o avobenzone[4]. O problema com muitos desses compostos orgânicos dos protetores solares (na maioria das vezes baseados em benzeno) é que eles são propensos à "fotodegradação", ou seja, a quebrar quando expostos à luz solar.

"A controvérsia", diz um estudo científico recente, "também aumentou sobre a possibilidade de efeitos biológicos adversos de vários ingredientes em protetores solares. A oxibenzona, um ingrediente amplamente utilizado em filtros solares, pode supostamente ter um efeito potencialmente perturbador sobre a homeostase hormonal."

O que os cientistas descobriram é que a oxibenzona (também conhecida como benzofenona-3) é totalmente absorvida pelo corpo humano através da pele depois de ter sido aplicada na forma de protetor solar. Foi encontrada na urina e no sangue de 96,8% das pessoas testadas e acredita-se que possa acumular em órgãos vitais tais como o rim, fígado, baço e testículos, mas também no intestino, estômago, coração e glândulas suprarrenais. Em um estudo científico, foi relacionada com baixo peso de bebês ao nascer[5].

O que ela faz? Sabemos que tem um efeito como o do estrogênio, e tem sido cientificamente demonstrado que estimula as células de câncer de mama em humanos[6] – não necessariamente uma coisa boa se você está em risco de desenvolver câncer de mama, como muitas mulheres estão. Ela também dá aos homens uma dose extra de estrogênio e mostra – em um nível bioquímico – o que os cientistas chamam de efeitos antiandrogênicos ou efeitos hormonais feminizantes.

Um estudo de quinze jovens do sexo masculino e de dezessete mulheres na pós-menopausa durante duas semanas mediu mudanças hormonais estatisticamente significativas após o uso da oxibenzona, mas não o suficiente para causar o que os cientistas chamam de "perturbações clinicamente significativas". Em outras palavras, enquanto a química do protetor solar está afetando nossos corpos, esse pequeno estudo de 32 pessoas não detectou nada que exigisse tratamento ou intervenção. Qual é o efeito em bebês ou crianças, no entanto? Nós não sabemos. Mas sabemos que os ingredientes do filtro solar estão agora sendo encontrados no leite materno humano[7].

Um estudo científico das águas residuais humanas que desembocam em rios descobriu, contudo, que toda aquela oxibenzona que estamos absorvendo e excretando está tendo um efeito terrível na vida marinha, reduzindo drasticamente a fertilidade de trutas e de outras espécies de peixes expostos à oxibenzona[8].

Por outro lado, uma análise adicional relatou que poderia levar até 277 anos para uma mulher que usasse protetor solar todos os dias finalmente acumular oxibenzona em uma quantidade suficiente para se tornar prejudicial, ficando claro que o que é tóxico para animais de pequeno porte pode não ser necessariamente tóxico para humanos[9].

O que já sabemos, porém, é que a oxibenzona pode tornar-se ineficaz e até mesmo tóxica sob as condições normais de uso de um protetor solar. Um estudo recentemente lançado testou o que acontece com protetores solares à base de oxibenzona quando seus usuários entram em piscinas cloradas ou *spas*. O cloro reage com a oxibenzona e "causa significativamente mais morte celular do que os controles não clorados... Expor o protetor solar comercialmente disponível ao cloro também resultou em diminuição da absorção de UV, perda da proteção UV e aumento da citotoxicidade [o que significa que ele se tornou tóxico para as células humanas]"[10].

Há pontos de interrogação sobre a segurança de outros ingredientes em protetores solares orgânicos. O palmitato de retinol, um composto amplamente utilizado em vários produtos cosméticos e de cuidados pessoais, tem recebido grande atenção como um potencial fotocarcinógeno (cancerígeno ativado pela luz do sol).

Esse produto químico tem demonstrado ter propriedades cancerígenas em testes com animais e também tem demonstrado criar radicais livres[11] na pele, como resultado do colapso que sofre sob exposição à radiação UV. A reação da comunidade científica, contudo, é dividida, com alguns cientistas sugerindo que outros compostos antioxidantes da pele humana deveriam ser capazes de proteger a pele contra danos causados pelos radicais livres gerados pelo palmitato de retinol[12]. Estes mesmos também afirmam que os ratos dos testes já eram propensos a ter câncer de pele de qualquer maneira.

Assim como a oxibenzona, na ausência de evidências sérias que mostrem que o composto é definitivamente prejudicial, o palmitato de retinol permanecerá presente nos protetores solares usados por adultos e crianças.

Em 2005, uma série de experimentos usando protetores solares contendo octocrilene, metoxicinamato de octila e benzofenona-3 revelou que em uma hora de aplicação, de acordo com as instruções do fabricante, os produtos químicos estavam gerando mais "espécies reativas ao oxigênio" (ERO) na pele do que as pessoas sem filtro solar estavam recebendo diretamente via radiação UV. Em outras palavras, o protetor solar estava agindo como óleo em uma frigideira em termos do seu efeito sobre a pele dos usuários e dos danos resultantes das EROs[13]. É uma das razões pelas quais as autoridades agora procuram estimular a reaplicação regular de ainda mais produtos químicos a cada hora, mantendo os usuários de filtro solar em um círculo vicioso.

A segunda categoria de protetores solares, os de base mineral, tem seus próprios problemas. São os bloqueadores solares de óxido de zinco e dióxido de titânio. Ao contrário dos produtos orgânicos, as formulações de zinco e titânio não foram pensadas para quebrar na luz solar e provocar danos à pele, o que significa que eles mantêm a proteção por mais tempo. No entanto, na corrida para se tornarem mais eficazes, esses produtos contêm ingredientes ativos na forma de nanopartículas – compostos moleculares tão pequenos que podem potencialmente passar por barreiras como a pele humana. Os pesquisadores mostraram que, quando o dióxido de titânio é estimulado pelos raios UV, seus elétrons tornam-se mais energizados e podem "reagir com compostos de oxigênio e hidrogênio nas proximidades para produzir radicais livres altamente reativos... quando em contato com a nossa pele, esses radicais livres podem oxidar e reduzir compostos incluindo o DNA, resultando em mutagênese significativa [provoca mutações a nível celular]"[14]. Além disso, os radicais livres resultantes podem reagir com ingredientes orgânicos do filtro solar e gerar ácidos.

Tudo isso está possivelmente acontecendo sob a pele de forma invisível, é claro, enquanto você e seus filhos tomam banho de sol ou brincam na praia.

Mais de uma equipe de pesquisa apontou que a corrida para a nanotecnologia em protetores solares e cosméticos tem sido feita "sem considerar os riscos potenciais para a saúde"[15].

"Muita preocupação tem sido expressa de que a integração da tecnologia de nanomateriais em formulações de uso diário ultrapassou o corpo de pesquisa avaliando a sua segurança", ecoam os pesquisadores Burnett e Wang, que, no entanto, chegam à conclusão de que os protetores solares devem ainda ser usados apesar de tudo[16].

Infelizmente, as agências de saúde na Europa, Japão, Austrália e Nova Zelândia têm estado tão empenhadas em promover os protetores solares que permitiram que muitos produtos chegassem ao mercado sem serem testados em relação ao fato de que seus ingredientes possam realmente causar câncer. Mesmo nos EUA, a maioria dos ingredientes não tem sido obrigada a passar por testes oficiais de segurança.

Os cientistas sabem agora que o óxido de zinco de fato quebra sob a luz UVB, liberando zinco (Zn_{2+}). Um estudo encontrou "uma redução da viabilidade celular" como resultado e descobriu que a ruptura do óxido de zinco "causa a citotoxicidade e o estresse oxidativo [a geração de radicais livres]"[17].

Outro estudo recente pinta um quadro ainda mais preocupante – dano genético real decorrente da nanotecnologia em protetores solares e na maquiagem. Lembre-se, é o dano ao DNA que leva ao câncer de pele e ao melanoma, portanto, é aqui que a especulação sobre a possibilidade de que os protetores solares causem câncer de pele está focada.

"Devido ao tamanho extremamente pequeno das nanopartículas (NPs) usadas, há a preocupação de que elas possam interagir diretamente com macromoléculas tais como as do DNA", observa o estudo, publicado na revista *Toxicology Letters*[18]:

> O presente estudo tinha como objetivo avaliar a genotoxicidade das nanopartículas do óxido de zinco (ZnO), um dos ingredientes amplamente utilizados em cosméticos e outras preparações dermatológicas na linha celular epidérmica humana (A_{431}). Observou-se uma redução da viabilidade celular em função de ambos: concentração de nanopartículas e tempo de exposição.

Os resultados alertam que nanopartículas de óxido de zinco, "mesmo em baixas concentrações, apresentam potencial genotóxico" capaz de mutação genética e de prejudicar a pele humana. "Portanto, deve-se tomar cuidado ao utilizá-las em preparações dermatológicas, bem como durante a sua manipulação."

Novamente, isso levanta questões válidas sobre a segurança do uso de protetores solares em lactantes e crianças, para não falar dos adultos.

"Embora não tenha sido reportada toxicidade em bebês ou crianças resultantes da absorção do protetor solar", escreve a Dra. Sophie Balk, "a permeabilidade da pele em relação à aplicação tópica de produtos é motivo de preocupação nos muito jovens, especialmente em prematuros. A absorção e outras propriedades da pele das crianças podem ser diferentes daquelas dos adultos até que elas tenham pelo menos 2 anos de idade."[19]

Thomas Faunce, especialista em biomedicina legal da Universidade Nacional Australiana, em Canberra, diz que as autoridades talvez precisem intensificar os esforços: "Pode ser o momento para os reguladores de segurança australianos aplicarem o princípio da precaução e aumentarem os requisitos de rotulagem sobre a utilização de nanopartículas em protetores solares[20]".

A questão é como lidar com o problema quando as autoridades de saúde, os fabricantes de protetores solares e as instituições de caridade relacionadas ao câncer estão financeiramente envolvidos.

As sociedades do câncer da Austrália e da Nova Zelândia, por exemplo, ganham milhões de dólares por ano com a comercialização de sua própria linha de produtos de proteção solar. Um deles, como produtos similares dos EUA e de outros lugares, é uma combinação de protetor solar FPS30 e repelente de insetos. Ele contém o inseticida "deet", conhecido pela ciência como dietiltoluamida, e o protetor solar octilmetoxicinamato. Ignore o fato de que esses dois produtos químicos e seus derivados, quando misturados, podem ser potencialmente prejudiciais[21]. Em vez disso, note que o combo também lista um ingrediente chamado butóxido de piperonilo[22], também conhecido como BOP, que é frequentemente adicionado a *sprays* "naturais" para insetos.

Um estudo de 2011 – o primeiro desse tipo – descobriu que esse químico supostamente amigo do ambiente chamado BOP parece ser tão tóxico para lactantes e crianças quanto deixá-las lamber tinta contendo chumbo. O estudo constatou uma queda de quatro pontos nos níveis de desenvolvimento mental das crianças cujas casas estão expostas a butóxido de piperonilo em dispensadores de *spray* para insetos[23]. Embora esse estudo em particular estivesse olhando para a toxicidade do BOP inalado de dispensadores automáticos de pulverização domiciliar, a aplicação do produto diretamente na pele por meio do protetor solar também poderia possivelmente levá-lo para a corrente sanguínea, em particular nas mulheres grávidas e nas crianças. Também é provável que você encontre BOP em tratamentos contra piolhos para crianças.

As crianças que eram mais altamente expostas ao BOP em amostras de ar em seu ambiente familiar (≥ 4.34 ng/m3) marcaram 3,9 pontos a menos no Índice de Desenvolvimento Mental do que aquelas com exposições inferiores[24]. Essa queda de pontos no QI é semelhante à observada na resposta à exposição ao chumbo. A pesquisadora Megan Horton, da *Columbia's Mailman School of Public Health*, disse aos jornalistas que, "embora talvez não tenha impacto sobre a função geral de um indivíduo, é educacionalmente significativa e poderia afetar a distribuição das crianças na sociedade, que, por sua vez, necessitariam de serviços de intervenção precoce"[25].

Você pode se surpreender ao descobrir que – apesar de ter sido aprovado para uso em residências e em crianças – não foram realizados testes significativos de segurança do BOP até o estudo de 2011[26]. E este é o ponto principal aqui: fabricantes de pesticidas e de protetores solares receberam sinal verde para usar livremente o público como cobaia.

A Sociedade do Câncer da Nova Zelândia publica solicitamente uma "lista de materiais seguros" sobre os ingredientes de seus produtos. Nas informações sobre venenos da lista, informa que a combinação de protetor solar e repelente para insetos "não é adequada para bebês e crianças". Grande conselho que foi entregue à Sociedade do Câncer em outubro de 2009[27], mas não aparece em nenhum lugar como advertência nas embalagens dos protetores solares à venda em 2012. Milhares de famílias usam esse produto nocivo em seus filhos. É verdade, o rótulo na Nova Zelândia diz "use este protetor solar em conjunto com outros comportamentos protetivos", incluindo "manter as crianças na sombra", implicando claramente que ele é seguro para crianças como parte de um conjunto de precauções.

O produto contendo BOP do Conselho do Câncer da Austrália é descrito como "Ideal para famílias e centros de acolhimento de crianças" em uma descrição para a versão de 500 ml[28].

O Conselho do Câncer defende o uso de nanopartículas em seu site[29]:

> A nanotecnologia tem sido usada em filtros solares durante muitos anos. Até a presente data, a nossa avaliação, com base na melhor evidência disponível, é de que as nanopartículas utilizadas em filtros solares não representam risco. No entanto, continuamos monitorando a investigação e agradecemos qualquer nova pesquisa que venha a lançar mais luz sobre o tema.
>
> Fórmulas de protetores solares e seus componentes são regulados pela *Therapeutic Goods Administration* (TGA). No início de 2009, a TGA realizou uma revisão atualizada da literatura científica em relação ao uso de nanopartículas de óxido de zinco e dióxido de titânio em filtros solares.
>
> A revisão da TGA concluiu que:
> - Os efeitos adversos potenciais das nanopartículas de dióxido de titânio e de óxido de zinco nos protetores solares dependem principalmente da capacidade dessas nanopartículas de atingir células viáveis na pele;
> - Até a presente data, o peso atual das evidências sugere que as nanopartículas de dióxido de titânio e óxido de zinco não atingem as células da camada interna da pele; ao contrário, elas

permanecem na superfície da pele e na camada exterior da pele, que é composta por células não viáveis.

Essa avaliação foi realizada no início de 2009. Evidentemente, nada mais foi feito pelas autoridades australianas. No entanto, no final de 2009, um artigo divulgou o seguinte[30]:

> As nanopartículas de dióxido de titânio (TiO_2), encontradas em tudo, desde cosméticos até protetores solares, tintas e vitaminas, causaram danos genéticos sistêmicos em camundongos, de acordo com um estudo abrangente conduzido por pesquisadores da *Jonsson Comprehensive Cancer Center* da UCLA (Universidade da Califórnia em Los Angeles).
>
> As nanopartículas de TiO_2 induziram a quebras das fitas simples e duplas do DNA, também causaram dano cromossômico, bem como inflamação, o que aumenta o risco de câncer. O estudo da UCLA é o primeiro a mostrar que as nanopartículas têm tal efeito, disse Robert Schiestl, um professor de patologia, oncologia da radiação e ciências da saúde ambiental, cientista da *Jonsson Cancer Center* e principal autor do estudo.
>
> Uma vez no sistema, as nanopartículas de TiO_2 se acumulam em diferentes órgãos, pois o corpo não tem qualquer maneira de eliminá-las. E porque elas são tão pequenas, podem ir a qualquer lugar do corpo, mesmo através de células, e interferir com mecanismos subcelulares.
>
> O estudo foi publicado na semana de 16 de novembro na revista *Cancer Research*.
>
> No passado, essas nanopartículas de TiO_2 foram consideradas atóxicas na medida em que não incitam uma reação química. Em vez disso, são as interações de superfície que as nanopartículas têm no seu ambiente – nesse caso, dentro de um rato – que estão causando o

dano genético, disse Schiestl. Elas vagam por todo o corpo causando estresse oxidativo, o que pode levar à morte da célula.

É um novo mecanismo de toxicidade, uma reação físico-química, que essas partículas causam em comparação com toxinas químicas regulares, que são os sujeitos usuais das pesquisas toxicológicas, disse Schiestl.

O princípio inovador é que o titânio, por si só, é quimicamente inerte. No entanto, quando as partículas se tornam progressivamente menores, a sua superfície, por sua vez, torna-se progressivamente maior, e, na interação dessa superfície com o ambiente, o estresse oxidativo é induzido, ele disse. "Esse é o primeiro estudo abrangente de genotoxicidade induzida por nanopartículas de dióxido de titânio, possivelmente causada por um mecanismo secundário associado à inflamação e/ou estresse oxidativo. Dada a crescente utilização dessas nanopartículas, essas descobertas aumentam a preocupação com riscos potenciais à saúde associados à sua exposição."

Como podemos conciliar estudos como esse com campanhas publicitárias dizendo aos pais para utilizar filtros solares com dióxido de titânio em seus filhos? É verdade que os estudos até agora não encontraram penetração de zinco ou titânio através da barreira da pele por mais de dezessete camadas, mas os testes foram feitos na pele de adultos, não na pele infantil, que é muito menos desenvolvida. Além disso, as crianças e especialmente os bebês podem lamber a pele com protetor solar, levando assim à ingestão de produtos químicos. Dado que as nanopartículas de dióxido de titânio também são usadas como branqueador na pasta de dentes, talvez haja também outro caminho para se preocupar, mas essa já é outra história!

O que tudo isso prova, no final das contas, é que o uso da nanotecnologia explodiu na comunidade muito antes de sua segurança ser definitivamente comprovada. Se os protetores solares fossem certeiros, uma barreira 100% eficaz contra o melanoma e todos os outros tipos de câncer de pele, você poderia olhar para as probabilidades e dizer que ainda assim vale a pena usá-los. No entanto, os protetores solares não impedem a maioria dos cânceres de pele e, segundo as evidências atuais, podem (direta ou indiretamente) causar melanoma, ao invés de preveni-lo, então a relação risco/benefício pode ser difícil para os pais avaliarem.

Essa não é a única preocupação, no entanto.

Praticamente todos os protetores solares da Sociedade do Câncer da Nova Zelândia (e vários dos australianos) também contêm vitamina E como antioxidante, mas não há nenhuma advertência nas embalagens[31] sobre os possíveis perigos da vitamina E para homens com risco de câncer de próstata. Um estudo recente descobriu que os homens que usavam vitamina E sofriam aumento significativo de 17% no risco de desenvolver câncer de próstata, o que significa que você não gostaria de usá-lo diariamente em um protetor solar, conforme recomendado pelas autoridades de saúde. Como o estudo adverte: "A suplementação com vitamina E aumentou significativamente o risco de câncer de próstata entre os homens saudáveis"[32].

Os casos de câncer de próstata – assim como os de melanoma – foram à estratosfera nas últimas três décadas. Seriam os protetores solares parcialmente culpados? *The Journal of Cosmetic Dermatology* relatou anteriormente que a vitamina E é absorvida pelo corpo humano em um nível onze vezes maior quando aplicada sobre a pele, em comparação à ingestão na forma de suplemento dietético[33].

A propósito, não é implicância com as sociedades do câncer da Austrália ou da Nova Zelândia. As fórmulas de seus produtos são semelhantes às utilizadas por outros fornecedores comerciais. Não pense que só porque um produto é comercializado por empresas conceituadas ou instituições de caridade, é anunciado na TV e vendido em supermercados, ele está realmente 100% livre de risco. Faça seu dever de casa.

Ainda há o estranho caso de jardineiros e agricultores, muitos dos quais usam herbicidas ou pesticidas de algum tipo como parte de seu trabalho. Um estudo de 2004 revelou que protetores solares agem como uma porta aberta para que produtos químicos venenosos possam penetrar na sua pele. O herbicida em questão foi o 2,4-D – que compõe metade da fórmula mortal do "agente laranja". Houve aumento de 60% na quantidade de herbicida que penetrou na pele através do filtro solar, em comparação com nenhum protetor solar, resultando no que os pesquisadores chamaram de "aumento de penetração", que mostrou "danos físicos" à pele[34].

Como você pode ver, existem preocupações consistentes sobre se os filtros solares podem mesmo ser tóxicos e se eles abrem as portas para outras toxinas ou não. O que vem a seguir, no entanto, é um problema maior para a indústria de filtro solar: eles realmente funcionam? O que você está prestes a ler pode surpreendê-lo.

Melanoma: a causa podem ser os protetores solares?

"O fator mais significativamente associado ao risco aumentado de melanoma foi o uso de filtros solares. Indivíduos que usam protetores solares frequentemente tiveram aumento de probabilidade de 3,47 em comparação com indivíduos que nunca usaram filtros solares."

- Journal of Melanoma Research, 1998.

A melhor explicação para o fato de as taxas de melanoma terem disparado desde 1935 pode ser relativamente simples: não há provas de que os protetores solares protegem contra o melanoma.

Pense nisso por um momento, já digeriu a ideia?

Numerosos estudos científicos não encontraram evidências de que os protetores solares são eficazes contra o risco de desenvolver o mais mortal dos cânceres de pele, o melanoma. Na verdade, em alguns casos, eles têm descoberto que usuários de filtro solar têm um risco significativamente mais elevado de desenvolver melanoma.

Um sinal indicador do risco crescente são os chamados "nevos" – lesões amarronzadas da pele, como sinais ou sardas escuras, que muitas vezes podem se transformar em melanoma. Um estudo canadense de escolares usando protetor solar FPS30 de amplo espectro em condições aleatórias e controlados ao longo de um período de três anos descobriu que usuários regulares de filtro solar tinham "uma ligeira diminuição" no número de novos nevos em sua pele; no entanto, esse efeito foi observado apenas em crianças com sardas. Em outras palavras, para todos os outros, usar protetor solar não conseguiu impedir o desenvolvimento de precursores de melanoma[1].

"Em um grande estudo europeu de crianças brancas em idade escolar", relatou Jou *et al.* em seu estudo de junho de 2012, "o uso de filtro solar foi associado com um aumento do número de nevos."

Em 2000, o *International Journal of Cancer* declarou resultados semelhantes após um estudo envolvendo cerca de 1.500 pessoas na Suécia:

> Pessoas que usaram protetor solar não obtiveram diminuição do risco de melanoma maligno. Ao invés disso, foi constatada uma razão de probabilidade significativamente elevada (quase o dobro) para o desenvolvimento de melanoma maligno após o uso regular de protetor solar[2].

Ainda mais perturbador para os leitores é o fato de que o aumento maciço do risco de melanoma para usuários de filtro solar ocorreu mesmo que os participantes "não tenham sofrido queimaduras enquanto usavam filtro solar".

A única boa notícia a partir dos estudos científicos sobre a eficácia do filtro solar é que as loções ajudam a evitar um dos principais cânceres de pele, conhecido como carcinoma de células escamosas. Esses são cânceres de crescimento muito lento que, mesmo podendo se espalhar, geralmente não o fazem antes de serem diagnosticados. Protetores solares não o protegem contra o câncer de pele mais comum – o carcinoma de células basais – ou o mais mortal, melanoma. Eles deveriam trazer mensagens de advertência sobre esse efeito nos rótulos, como os maços de cigarro, mas não o fazem.

Essa recusa por parte dos fabricantes e das autoridades de saúde em explicitar a sua ineficácia é ainda mais inexplicável quando você considera que a cada verão são as histórias tristes e trágicas de jovens vítimas de melanoma que são divulgadas para a imprensa e para o público como mensagem principal de proteção contra o sol, incitando as pessoas a comprar e usar protetor solar.

Essas últimas análises levaram a Academia Americana de Pediatria a anunciar recentemente que "o uso correto do protetor solar pode prevenir queimaduras solares e se acredita que proteja contra o carcinoma de células escamosas (CCE). No entanto, usar protetor solar não se mostrou eficiente para prevenir o melanoma ou o carcinoma de células basais"[3].

Lembre-se de que é principalmente o melanoma que mata. O protetor solar em seu armário não está reduzindo o seu risco de morrer de câncer de pele, não importa quantas vezes uma pessoa sorrindo na TV o incite a usar protetor solar por causa dos perigos do melanoma. Na melhor das hipóteses, os efeitos do protetor solar parecem ser amplamente cosméticos em termos de retardar o envelhecimento da pele sob efeito continuado do sol. Mas na pior delas, eles podem estar nos induzindo perigosamente à complacência. Será que as nossas elevadas taxas de melanoma podem ser, em grande parte, o resultado de uma campanha de saúde pública mundial incentivando as pessoas a usar protetores solares que acabaram mostrando-se ineficazes contra o melanoma?

Mesmo a eficácia contra cânceres (CCE) está longe de ser total. Uma redução de apenas 40% entre as pessoas que usam protetor solar religiosamente ainda deixa um risco significativo de desenvolvê-lo.

Não é a primeira vez que uma grande campanha de conscientização da saúde pública foi lançada com base em dados errôneos e saiu pela culatra tragicamente. Outro exemplo com o qual muitos leitores devem estar familiarizados é a promoção global de preservativos em campanhas de "sexo seguro". Estudos médicos na verdade provaram que os preservativos são quase inúteis contra muitas infecções sexualmente transmissíveis. Com o resultado de que as estatísticas de infecção sexual subiram rapidamente entre os adolescentes que foram embalados em uma falsa sensação de segurança por causa do desejo das autoridades de saúde de apresentar mensagens simples e idiotizadas sobre sexo seguro[4].

No caso do melanoma, o constrangimento dos oficiais da saúde pública, na verdade, fica ainda pior. Estudos estão mostrando que – ironicamente – as pessoas que se expõem mais ao sol são mais propensas a sobreviver ao melanoma, caso o desenvolvam, do que pessoas que usam protetor solar religiosamente.

Mais uma para você digerir.

Se você tomar sol regularmente, adquirir um bronzeado e uma reserva de vitamina D, suas chances de sobreviver ao melanoma são muito mais elevadas do que se você é uma pessoa com 50 anos de idade, com a pele de 20, que tem se mantido longe do sol por toda a vida. Pesquisadores da Universidade de Leeds descobriram isso em um importante estudo publicado em conjunto com os Institutos Nacionais de Saúde em setembro de 2009. As pessoas que tomam banho de sol regularmente e desenvolveram melanoma tinham 30% mais chances de sobreviver do que os que não pegavam sol[5].

Parte da razão desse enigma parece ser, mais uma vez, o efeito protetor da vitamina D. Os pacientes de melanoma que tinham os mais altos níveis de vitamina D no sangue acabaram por ter as lesões de melanoma mais finas na pele – e quanto mais raso o melanoma, menor é o risco de que ele se alastre profundamente para dentro do corpo.

"Níveis mais elevados [de vitamina D3] no momento do diagnóstico estão associados com ambos: tumores mais finos e maiores chances de sobrevivência", relatou o estudo Leeds. "Pacientes com melanoma e aqueles com alto risco de desenvolver melanoma deveriam procurar garantir a suficiência de vitamina D."

Isso também explica um dos mistérios que surgem na Austrália e na Nova Zelândia. Neste momento atual da história planetária, o hemisfério sul está – por causa do ângulo de inclinação da Terra – mais perto do sol durante o verão do que o hemisfério norte durante o verão no norte. Isso significa que as nações do sul estão recebendo uma dose mais forte de radiação UV a cada ano do que americanos ou europeus[6]. É uma das razões pelas quais os antípodas têm as maiores taxas de melanoma no mundo. No entanto, e aí vem o que é estranho: eles não têm as maiores taxas de mortalidade por melanoma. Longe disso.

Essa aparente contradição foi uma das primeiras pistas que levaram os investigadores a suspeitar que a vitamina D tinha um papel protetor contra o câncer fatal. De que outra forma se poderia explicar as maiores taxas de melanoma no mundo, mas também as melhores taxas de sobrevivência?

Para cientistas curiosas como a da Universidade de Leeds Julia A. Newton-Bishop – a principal autora do estudo original –, esses paradoxos abriram novos fundamentos para a investigação. Pessoas que se expunham ao sol mais frequentemente eram mais propensas a sobreviver ao melanoma. Poderia ser possível que os banhos de sol pudessem na verdade ajudar a prevenir o desenvolvimento do melanoma?

A ideia parece absurda – todos nós sabemos que tomar banhos de sol provoca melanoma, não é mesmo? Na realidade, sabemos muito menos sobre a complexidade das causas do melanoma do que as simples mensagens publicadas nos meios de comunicação a cada verão sugerem.

A equipe de Newton-Bishop continuou cavando mais profundamente para obter respostas e, no final de 2010, fez uma descoberta bombástica: residentes britânicos que tomaram banho de sol sem protetor solar durante cinco horas ou mais por dia, a cada final de semana durante o verão, reduziram seu risco de desenvolver melanoma em incríveis 33%, em comparação com as pessoas que se mantiveram protegidas do sol.

Esse é outro daqueles momentos para digerir com calma.

Se você olhar de outra forma, as pessoas que seguiam os conselhos, cobrindo-se de protetor solar e ficando longe do sol, tinham chocantes 50% mais chances de desenvolver melanoma do que as pessoas que pegavam sol regularmente sem protetor solar. Isso também pode explicar por que tantas vítimas de melanoma dizem nos meios de comunicação: "Mas só tomo banho de sol ocasionalmente e sempre procuro usar protetor solar, foi apenas uma vez...".

Quando os dados foram analisados para tumores em diferentes locais do corpo, relatou o *European Journal of Cancer Study*, o efeito protetor do aumento da exposição ao sol de fim de semana foi mais forte para os tumores dos membros e tumores em locais raros do corpo [esses melanomas que frequentemente surgem onde o sol não pega].

Pessoas tímidas ao sol tinham mais do que o dobro do risco de desenvolver melanomas na cabeça e no pescoço do que os seus compatriotas bronzeados frequentadores das praias[7]. O que nos traz de volta à questão levantada no início deste capítulo: por que as pessoas que usam protetor solar religiosamente são as mais propensas a desenvolver o mais mortal dos cânceres de pele? A resposta parece estar em uma batalha entre a natureza e a indústria farmacêutica.

Se você aderir ao argumento da "natureza", os seres humanos têm vivido naturalmente sob o sol por dezenas de milhares de anos. De fato, toda a vida na Terra depende da radiação solar, e os nossos corpos estão altamente sintonizados para lidar com ela. Por que, então, estamos lidando com uma súbita explosão no número de casos de câncer de pele?

Na busca da humanidade para domar a natureza e, de fato, para progredir, nós passamos de um estilo de vida agrícola simples, ao ar livre, para um particularmente fechado dentro de casa, principalmente nos últimos cem anos. Já não passamos mais longas horas ao sol todos os dias, desenvolvendo um bronzeado que durará o ano inteiro. Em vez disso, nós nos locomovemos da casa para o carro, do carro para o trabalho, do trabalho para o carro novamente e do carro de volta para casa, e assim sucessivamente, cinco dias por semana, ficando apenas alguns minutos ao sol por dia, quando muito.

Como resultado de nossas vidas interiorizadas, agora precisamos de proteção contra o sol, porque não temos tempo suficiente para construir bronzeados gradualmente e naturalmente à luz do dia a tempo para as férias de verão. Estamos simplesmente muito ocupados. Então chegamos a uma solução farmacêutica, confiando que os químicos tenham razão e que a inteligência humana derrotou a natureza.

Estaria tudo bem com esse cenário se os protetores solares funcionassem. A verdade, no entanto, é que eles têm uma série de limitações. Se as suas chances de ter um melanoma eram de 1:1.500 em 1935 (antes da invenção dos protetores) e estão tão altas quanto 1:33 agora, há algo claramente errado com o quadro geral[8]. Ao perder o efeito protetor de um bronzeado duradouro, colocamos nossa confiança em formulações químicas imperfeitas.

Foi o que deu errado. Durante décadas, os protetores solares foram bastante eficientes em bloquear a radiação UVB, mas totalmente inúteis em bloquear a radiação UVA, que na verdade forma quase 95% do total da luz UV que atinge a superfície da Terra. A UVA penetra o vidro (e os óculos de sol, aliás), o que a UVB não faz, e penetra mais profundamente na pele humana, e por isso "pode ter maior potencial destrutivo". É sabido que é mais provável que a UVA esteja envelhecendo sua pele e provocando rugas. É a UVA que desbota os seus tapetes. A UVB, por outro lado, é principalmente responsável por causar queimaduras solares, mas também causará o fotoenvelhecimento da sua pele.

No entanto, aqui está a parte importante. É a UVB que estimula principalmente o seu corpo a produzir mais melanina, a pigmentação mais escura de proteção que chamamos de bronzeado. A radiação UVA também cria um bronzeado instantâneo, mas utiliza a melanina já existente na pele para alcançar esse objetivo e, portanto, não estimula uma resposta de bronzeamento de proteção, porque não gera nova melanina. Essa é uma das críticas às camas de bronzeamento artificial, que utilizam principalmente UVA – elas são muito boas na criação de um rápido bronzeado, mas o bronzeado que não é uma proteção. Você não pode pegar um bronzeado em uma dessas camas e achar que está protegido.

Então, aqui está a reviravolta. Os protetores solares que bloquearam a radiação UVB na verdade impediram seu organismo de se defender contra a radiação solar total. Muitos dos melanomas que aparecem nos *baby boomers* e na geração X hoje são, indiscutivelmente, resultado direto dos produtos de proteção solar defeituosos dos anos 60 que deram às pessoas uma falsa sensação de segurança. Eles estavam causando mais danos a si mesmos ao se deitarem ao sol durante o dia usando protetor solar UVB, acreditando equivocadamente que, por não estarem se queimando, estavam seguros. Nesse meio-tempo, a radiação UVA fazia a festa.

"Os raios UVA podem ter um maior potencial de carcinogênese", relata o *Cleveland Clinic Journal of Medicine*[9].

Se fosse um episódio de *Star Trek*, usar um protetor solar UVB enquanto se toma banho de sol (enganando assim o corpo para não produzir um bronzeado de proteção) é o equivalente a deixar a *Enterprise* com os "escudos para baixo" e desarmada, enquanto o inimigo UVA entra sorrateiramente a bordo.

Esse, então, foi o erro estratégico número um. "Um equívoco comum é que protetores solares diminuem o risco de queimadura e permitem que as pessoas aumentem a sua exposição à radiação UV. Isso resulta em aumento da exposição aos raios UVA e, portanto, aumenta o risco de cânceres da pele e facilita o fotoenvelhecimento."[10] Levantem as mãos todos os que se esbaldavam na praia durante horas pensando que seu protetor solar os estava protegendo.

Por essa razão, a indústria passou predominantemente aos protetores de "amplo espectro", que afirmam bloquear raios UVB e UVA. Para aqueles que aplicam regularmente um protetor de amplo espectro SPF16 ou superior todos os dias, os estudos mostraram uma redução em longo prazo de 38% na incidência de carcinoma de células escamosas – um dos tipos menos nocivos de câncer de pele[11]. Infelizmente, isso pode ser tudo o que os protetores fazem.

"Apesar de os protetores solares parecerem eficazes na prevenção da queratose actínica [manchas de sol na pele] e do carcinoma de células escamosas, as evidências de que eles também evitam o carcinoma basocelular e o melanoma têm sido inconclusivas", relatou o pesquisador Paul Jou em junho de 2012.

O melanoma é o verdadeiro assassino quando se trata de câncer de pele. A taxa de mortalidade do melanoma é tão elevada quanto um em cada cinco (20%). Em contraste, as taxas de mortalidade por carcinoma basocelular (o câncer de pele mais comum) e carcinoma de células escamosas ficam em torno de 1 em 333 (uma taxa de mortalidade de 0,3%). O melanoma é responsável por 75% de todas as mortes por câncer de pele. Descobrir que a principal arma na luta por um estilo de vida ao ar livre é, em grande parte, inútil contra os cânceres mais comuns e mortais da pele é desconcertante, para dizer o mínimo.

Um estudo de 2011 fez a mesma observação[12]: "A segurança dos protetores solares é uma preocupação", relata a autora do estudo, Dra. Marianne Berwick, da Universidade do Centro de Câncer do Novo México e do Departamento de Medicina Interna. "As empresas fabricantes promoveram o uso de protetor solar emotiva e imprecisamente."

Com as vendas globais da proteção solar atingindo milhares de dólares todos os anos, há muito dinheiro sendo feito com produtos que podem ser relacionados a campanhas de saúde pública. O problema para os consumidores e reguladores é saber se, de fato, protetores solares valem o que estão pagando por eles ou se o receio dos consumidores tem sido exagerado.

Mais perturbador, na minha opinião, no entanto, é que a propaganda não está repassando essa verdade inconveniente ao público. A Sociedade do Câncer da Nova Zelândia, por exemplo, que, como vimos, opera um negócio muito lucrativo naquele país vendendo sua própria marca de cremes protetores, afirma em seu *site* que o filtro solar protege contra o melanoma: "A Nova Zelândia tem a maior taxa de melanoma do mundo, e outros cânceres de pele também são muito comuns. Você pode ajudar a reduzir o risco de câncer de pele usando protetor solar corretamente"[13].

Se a SC da Nova Zelândia não tivesse a reputação de uma grande instituição de caridade médica para salvá-la, ela provavelmente estaria em risco, a meu ver, da acusação de publicidade falsa ou enganosa – especialmente tendo em conta o impacto mortal das afirmações.

Afirmações semelhantes são feitas na Austrália: "O câncer de pele é um dos cânceres mais evitáveis; ainda assim, os adolescentes australianos têm, de longe, a maior incidência de melanoma maligno no mundo", disse um porta-voz da SunSmart Austrália em um comunicado recente[14]. Com base na ciência acima, por que as agências de saúde continuam fazendo essas declarações?

Um estudo australiano frequentemente citado pelos partidários dos protetores solares foi publicado em 2011[15]. Ele analisou por um período experimental inicial de cinco anos e, em seguida, outros dez anos de acompanhamento usuários regulares de protetor solar de amplo espectro e declarou que eles tinham menos probabilidade de desenvolver melanomas primários. Os críticos, no entanto, ainda não se convenceram:

> O estudo teve limitações graves: os autores admitiram que os resultados foram marginalmente e estatisticamente significativos; os locais de intervenção para a aplicação do protetor solar foram escolhidos para o câncer não melanoma e excluíram o tronco e as extremidades, onde melanomas ocorrem frequentemente; e todo o corpo foi analisado para melanomas, não apenas o local de intervenção. Assim, apesar de fornecer algumas das primeiras evidências que sustentam a capacidade do protetor solar em prevenir o melanoma, esses resultados são controversos e pouco conclusivos[16].

Além disso, uma análise de acompanhamento publicada na mesma revista trabalhando a partir dos mesmos dados australianos encontrou, na verdade, uma taxa maior de melanomas em áreas que haviam sido supostamente "protegidas" por protetor solar de amplo espectro.

Você deve se lembrar dos estudos citados anteriormente, nos quais crianças em idade escolar que usavam filtro solar regularmente na verdade eram mais propensas a desenvolver precursores de melanoma. A razão para isso pode agora possivelmente ser vista no contexto. Ao construir a mensagem de proteção contra o sol ancorada principalmente na necessidade de as empresas farmacêuticas ganharem um dinheirinho com os protetores solares, criamos uma falsa, mas amplamente aceita, crença pública de que a exposição solar é facilmente controlada pelos filtros solares. Isso simplesmente não é verdade.

Há uma longa lista de estudos que provam que protetores solares são eficazes na proteção contra o envelhecimento da pele e contra as formas amplamente inofensivas de câncer de pele. Mas vamos encarar a verdade, a real razão pela qual a maioria das pessoas usa filtro solar é porque elas temem o grande M (Melanoma) sobre o qual a mídia alerta constantemente.

Então o que acontece quando as pessoas trocam a sua defesa natural contra o melanoma (o bronzeado) por uma solução obtida a partir de um frasco que acaba por se mostrar ineficaz? As taxas de melanoma sobem, apesar do aumento do uso de protetores solares. É exatamente o que tem acontecido desde 1935.

O peso esmagador da evidência científica sugere que os protetores solares não o protegem do melanoma e, ainda pior, podem na verdade aumentar o seu risco de desenvolvê-lo. Além disso, como os protetores solares são tão bons em bloquear os raios UVB, produtores de vitamina D, eles podem estar aumentando o seu risco de morrer de melanoma se você chegar a desenvolvê-lo, porque agora o seu corpo já não conta com a proteção contra o câncer que a vitamina D oferece.

Algumas das mesmas empresas farmacêuticas que vendem o protetor solar ineficaz também ganharão dinheiro com a venda das drogas extremamente caras contra o câncer ou com outras medicações das quais você poderá necessitar mais tarde.

E fica ainda pior, no entanto. Você deve se lembrar que os protetores solares têm um fator de proteção solar (FPS), supostamente para tranquilizá-lo sobre sua força relativa e duração da proteção. O que a maioria das pessoas não sabe é que o FPS diz respeito apenas à radiação UVB, não à UVA. Isso significa que seu protetor solar SPF30+ "pode" lhe dar proteção contra UVB durante todo o dia (se aplicado em condições de laboratório), mas ele não está fazendo nada contra os mortais raios UVA.

"Mas todos os filtros solares hoje em dia são de amplo espectro, não são?", você pergunta. Apenas um ponto: estudos têm mostrado que o dióxido de titânio, o composto mais eficaz contra os raios UVA conhecido pelo homem, só foi capaz de formar um fator de proteção de 12 contra a radiação UVA quando usado como instruído em um experimento recente[17], ainda que o mesmo mineral tenha conseguido alcançar FPS38 em outro experimento. Para fazer uma analogia, contar com protetores de amplo espectro para protegê-lo das radiações que causam o câncer é como jogar roleta-russa com uma arma na qual quatro das seis câmaras contêm balas de verdade. E eles não lhe dizem nada sobre isso na parte de trás da embalagem.

Os cientistas na verdade não sabem quanto UVA está sendo bloqueado, e os fabricantes de filtros solares estão discutindo entre si sobre o problema:

"Nos dias atuais, o FPS das loções varia muito na sua proteção de amplo espectro", diz um *briefing* da Procter & Gamble. "Muitos produtos FPS que afirmam reduzir a exposição aos raios UVA nem sequer contêm um protetor solar UVA reconhecido pela FDA, como o avobenzone ou o óxido de zinco."[18]

Agora, aqui vem a parte importante: atualmente, não existe nenhum método de teste universal ou rótulo padrão de produto para indicar o nível de proteção UVA.

Você leu corretamente. Não se sabe o quão efetivos os filtros solares UVA realmente são. Os rótulos nas embalagens prometem de tudo, mas ainda não está claro quanta proteção eles estão realmente oferecendo.

"Apesar dessas variações de proteção", tranquiliza a Procter & Gamble, "os especialistas ainda concordam que todos deveriam praticar estratégias de proteção do sol".

O dermatologista da Califórnia Lawrence Samuels é mais um que lamenta a falta de dados concretos e rápidos em matéria de proteção UVA:

> Infelizmente, neste momento, não há nenhuma medida para quantificar a eficácia da capacidade de um protetor solar em bloquear os raios UVA. É bem conhecido que os ingredientes dos filtros solares químicos que bloqueiam os raios UVA são um pouco instáveis quando expostos aos raios UV e ao oxigênio do ar. Isso fica ainda mais complicado pelo fato de que nós ainda não temos a capacidade de medir a estabilidade ou a eficácia dos filtros solares químicos que bloqueiam os raios UVA[19].

Quando você leva em consideração que a maioria de nós não utiliza o protetor solar exatamente como os fabricantes recomendam, os fatores de proteção (para aquilo que eles fazem) caem ainda mais.

Em outras palavras, deixem que o usuário tenha a informação. Se você ainda acha que seu protetor solar é verdadeiramente uma loção de amplo espectro que protege você de radiações UVB e UVA, você pode estar colocando em risco a si e a sua família. O efeito do uso de um protetor solar que, na melhor das hipóteses, pode estar bloqueando apenas 25% da radiação UVA e 95% da UVB é semelhante a ser bombardeado com raios UVA em uma cama de bronzeamento artificial, sobre as quais as autoridades de saúde falam bastante, aliás.

Outra prova de que bronzeados naturais são mais benéficos do que protetores solares vem de um estudo de 2009 realizado por Dianne Godar, da *US Food and Drug Administration*, e outros[20], que descobriu que trabalhadores que permanecem em escritórios têm taxas de melanoma mais elevadas do que trabalhadores ao ar livre – uma descoberta que sustenta a conclusão de Julia Newton-Bishop, da Universidade de Leeds, de que as pessoas que recebem sol nos fins de semana são menos propensas a ter melanoma do que as pessoas que se mantêm longe do sol.

"Paradoxalmente", relata o estudo de Godar, "embora os trabalhadores ao ar livre obtenham doses de UV solares muito mais elevadas do que os trabalhadores de escritório, apenas a incidência de melanoma maligno cutâneo (MMC) dos trabalhadores internos tem aumentado a uma taxa exponencial constante."

"Os documentos de Godar argumentam que o ambiente que nós criamos – no qual passamos a maior parte do tempo em locais fechados, atrás de vidros, desde o início do século 20, permitindo a exposição aos raios UVA, mas não aos UVB, que sintetizam a vitamina D – é o principal responsável pela epidemia de melanoma", explica Robert Scragg, um especialista em vitamina D da Universidade de Auckland, na Nova Zelândia. Edifícios de escritórios, casas e janelas de carros têm permitido a entrada da radiação UVA enquanto bloqueiam os raios UVB – que, na verdade, ajudam a fabricar a vitamina protetora D3 se conseguem chegar à sua pele.

O estudo da *US Food and Drug Administration* descobriu que a vitamina D3 – formada na pele pelo bronzeamento – age como uma bomba-relógio quando é absorvida pelas células cancerosas do melanoma.

"A exposição ao ar livre inclui radiação UVB (290-320 nm), de modo que a pré-vitamina D_3 e a conversão térmica em vitamina D3 podem ocorrer na pele. A vitamina D3 pode então ser convertida em sua forma mais hormonalmente ativa, 1,25-dihydroxivitamina D3 ou calcitriol, que mata as células do melanoma e as do carcinoma de celulas escamosas (CCE)", relata o estudo de Godar.

A Vitamina D_3 se prende às células de melanoma e as explode: "O calcitriol pode controlar ou eliminar as células de melanoma ligando-se ao receptor da vitamina D_3 (RVD) na membrana nuclear e sinalizando a inibição do crescimento ou a morte da célula por apoptose, enquanto protege os melanócitos normais da apoptose".

A apoptose é a forma como o corpo normalmente destrói células cancerosas com segurança, mas os cânceres se espalham quando a apoptose não está funcionando corretamente. A vitamina D3 parece aumentar o poder dos mecanismos naturais de destruição do câncer.

Passamos nossa vida dentro de escritórios e, nas poucas vezes em que saímos ao sol, usamos um coquetel químico capaz de restringir seriamente a produção de vitamina D.

Não é de se admirar que um estudo científico austríaco do final dos anos 90 tenha descoberto que usuários de filtro apresentavam chances três vezes e meia maiores de desenvolver melanomas do que pessoas que se expunham ao sol regularmente desprotegidas:

> O fator mais significativamente associado com o risco aumentado de melanoma foi o uso de filtros solares. Indivíduos que usaram protetor solar regularmente tiveram a sua razão de chances aumentada em 3,47 (intervalo de confiança de 95% [IC] 1,81-6,64) em comparação com indivíduos que nunca usaram protetor solar (P = 0,001), após ajustes relativos ao sexo, idade e outros fatores importantes relacionados à luz solar. A cor da pele e um maior número de banhos de sol foram fatores protetores significativos[21].

A equipe austríaca descobriu que pessoas que tomam banho de sol mais de trinta vezes por ano reduzem seu risco de melanoma em 91%. A única coisa que impulsiona seu risco novamente para o alto é se elas se queimam ao fazê-lo[22].

Um recente estudo sueco, baseado no conhecimento de que as queimaduras solares podem levar ao melanoma, examinou os mais vulneráveis da nossa sociedade – as crianças. Surpreendentemente, descobriram que as crianças cujos pais usaram regularmente protetor solar sobre elas eram mais propensas a se queimar:

> O protetor solar foi um fator de risco para as crianças entre 2 e 7 anos de idade, independentemente de queimadura (não usar ou raramente usar filtro trouxe mais proteção)... Crianças suecas se queimam frequentemente, e aquelas vivendo ao sul se queimam mais do que as que vivem ao norte. Não usar filtro solar ou usá-lo raramente teve efeito mais protetor. Esses resultados apoiam relatos anteriores que afirmam que a pele fotossensível é um importante fator de risco para queimaduras solares na infância e, portanto, aumenta o risco de melanoma maligno cutâneo.[23]

A equipe do Monty Python não poderia ter afirmado de modo mais certeiro: "Os filtros solares que não foram utilizados mostraram-se protetores".

Em outras palavras, os pais que incentivaram seus filhos a se bronzear natural e gradualmente, sem protetor solar, acabaram sendo mais responsáveis do que os pais que seguiram os conselhos políticos oficiais de abusar do protetor solar.

"Muitos prestadores de cuidados primários aconselham os pacientes a usar protetor solar como um meio para reduzir o risco de câncer de pele, especialmente o melanoma maligno cutâneo (MMC)", escreve a Dra. Margaret Planta[24].

> Apesar da disponibilidade e da promoção do protetor solar ao longo de décadas, a incidência da MMC continua aumentando nos EUA a uma taxa de 3% ao ano. Neste momento, há pouca evidência de que os protetores solares protegem contra MMC. Uma série de estudos sugere que o uso de filtros solares não diminui significativamente o risco de MMC e podem inclusive aumentar o risco de queimaduras solares e MMC.

A Dra. Planta adverte que as "autoridades podem precisar rever os seus conselhos a respeito do uso de protetor solar para a prevenção de MMC."

Em 2006, a Agência de Proteção Ambiental dos Estados Unidos registrou o fato com a sólida declaração de que "não existe nenhuma evidência de que protetores solares pode protegê-lo do melanoma maligno"[25].

A Dra. Planta cita mais evidências, como o fato de que os residentes dos estados mais frios do norte dos EUA, como Delaware, têm uma maior incidência de melanoma do que os residentes dos mais ensolarados estados do sul, como o Texas, o que sugere que uma regular exposição ao sol pode realmente proteger contra o melanoma. Planta, apesar disso, ainda insiste que protetores solares são necessários, mas que o público precisa ser plenamente informado sobre os seus pontos fracos.

Burnett & Wang escrevem na conclusão do próprio relatório:

> Futuros estudos com seres humanos terão de ser conduzidos sob as condições do mundo real com filtros solares modernos antes que possamos determinar definitivamente a segurança e a eficácia da proteção solar. Nenhum dos dados publicados até a data demonstra conclusivamente efeitos adversos sobre a saúde humana decorrentes da utilização de protetores solares.

Dermatologistas frequentemente dirão aos seus pacientes: "A partir do momento em que você estiver bronzeado, o sol já terá causado dano ao seu DNA". Declarações como essa têm papel significativo nas mensagens da *SunSmart*. No entanto, embora verdadeira, essa não é toda a verdade. Bronzear-se é a resposta do organismo à radiação UVB – o nosso DNA na verdade está programado para reparar o "dano" causado pelos raios UVB e para produzir o bronzeado protetor como resultado. Sem o dano, o DNA não vai dar a partida para ativar o bronzeado.

Outra evidência científica indicando que os dermatologistas podem não saber a história completa surgiu em um estudo publicado em fevereiro de 2012 na revista *Mutation Research*[26]. Os cientistas descobriram que a vitamina D na verdade impede que o DNA seja danificado por radicais livres e mantém a integridade genética. A vitamina também regula a taxa de crescimento de células e parece "reduzir o dano oxidativo em seres humanos".

"Estudos com animais e estudos de cultura de células mostraram que o tratamento da vitamina D reduziu drasticamente os danos por estresse oxidativo e as aberrações cromossômicas e impediu o encurtamento dos telômeros, inibindo a atividade da telomerase, o que também sugeriu que a vitamina D pode estender o tempo de vida em seres humanos", relatou o jornalista David Liu[27]. Tudo isso é o que você poderia esperar encontrar em um complexo sistema biológico em que a vida tem sido dependente do sol durante milhões de anos. E, até agora, o bronzeado está parecendo ser muito mais protetor contra os cânceres de pele mortais do que qualquer coisa que os seres humanos tenham criado para o arsenal *SunSmart*. Talvez a resposta natural seja mesmo a melhor, no final das contas.

Além disso, a *Cancer Research UK* anunciou que "ao longo dos últimos 25 anos, as taxas de melanoma maligno na Grã-Bretanha subiram mais rapidamente do que qualquer um dos cânceres mais comuns". A corrida do melanoma ao pódio da fatalidade, então, coincidiu com o consumo em massa de protetores solares durante o mesmo período.

Então, o que causa o melanoma? Um cínico neste momento pode estar murmurando "filtros solares", e até onde sabemos isso pode ser verdade. No entanto, os cientistas encontraram alguns fatores de risco significativos que definem se você é mais propenso a desenvolver melanoma.

Eles incluem:

- Pele clara (aumento de 29% em comparação a pessoas de pele parda);
- Pele muito clara (aumento de 183%);
- Olhos azuis ou cinza (71% de aumento em comparação a olhos castanhos);
- Olhos verdes ou mel (aumento de 24%);

- Cabelos loiros (aumento de 76% em comparação a cabelos negros ou castanhos);
- Cabelos ruivos (185% de aumento);
- Capacidade de bronzear-se moderadamente (aumento de 31% em comparação a pessoas que se bronzeiam fácil e profundamente);
- Capacidade de bronzear-se leve e ocasionalmente (88% de aumento);
- Nenhuma capacidade de bronzear-se ou sardas (124% de aumento).

Além disso, o fato de você ter se queimado ou não é importante. As pessoas que se bronzeiam sem se queimar não tiveram aumento além do risco médio, mas, para os outros:

- Leve queimadura seguida de bronzeado (aumento do risco em 14%);
- Queimadura dolorida seguida de escamação (aumento do risco em 113%);
- Queimadura grave com bolhas (aumento do risco em 114%);
- Queimadura de sol antes dos 20 anos de idade (24% de aumento do risco em comparação com pessoas que nunca se queimaram);
- Queimadura de sol depois dos 20 anos de idade (56% de aumento do risco).

A unidade de pesquisa da Universidade de Leeds descobriu mais uma coisa. "Nós sabíamos há algum tempo que as pessoas com muitos sinais estão sob maior risco de melanoma", a professora Julia Newton-Bishop explicou, mas "neste estudo encontramos uma ligação clara entre alguns genes dos cromossomos 9 e 22 e um maior risco de melanoma. Esses genes não são associados com a cor da pele."[28]

Foi a primeira vez que a ciência encontrou uma ligação genética com o melanoma que não envolve a cor do cabelo, dos olhos ou da pele. Nesse caso, os genes influenciavam o número de sinais que uma pessoa tem, ou seja, o número de trampolins preexistentes dos quais o melanoma poderia advir. O estudo determinou que existem pelo menos cinco genes que podem ter impacto sobre o risco de melanoma, e a maioria das pessoas no mundo é portadora de pelo menos um deles. Se acontecer de você ser o escolhido e estiver carregando todos os cinco genes, o seu risco de desenvolver melanoma é 800% maior do que de uma pessoa que não carrega nenhum deles[29].

Algo a mais para se pensar: se você vive em uma área com alta radiação UV, como Queensland, se queima facilmente ou tem câncer de pele, que tem uma taxa de mortalidade mínima, um novo estudo de fora da Austrália indica que o seu risco de, em seguida, desenvolver câncer de pâncreas (taxa de mortalidade de 95% dentro de um ano, os 5% restantes logo depois) é cortado pela metade[30]. A maioria das pessoas sobrevive ao câncer de mama. A grande maioria sobrevive ao câncer de pele. Mas você não escapa do câncer de pâncreas.

Mais pessoas morrem a cada ano de câncer pancreático do que de câncer de pele. É o quarto tipo de câncer mais mortal do mundo, medido pelo número de mortes. Vítimas famosas recentes incluem o cofundador da Apple Steve Jobs e o ator Patrick Swayze. Se fosse provável que ao se bronzear você aumentaria o risco de câncer de pele, mas reduziria o de câncer de pâncreas em 49%, como você faria para pesar o seu risco relativo?

Pergunta difícil, mas é do tipo que precisamos nos perguntar, porque não vivemos em um mundo perfeito, e tudo envolve trocas de algum tipo.

Há algo mais sobre o estudo do câncer do pâncreas que está confundindo os pesquisadores: é a vitamina D que está diminuindo o risco, nesse caso, ou é a luz solar em si? A implicação disso é que pode haver algo de protetor na forma como o corpo humano processa a radiação UV que meros suplementos de vitamina D não podem replicar.

A lógica em dizer isso é que as áreas com maior radiação UV na Austrália têm as menores taxas de câncer de pâncreas, mas alguns estudos não encontraram impacto da vitamina D sobre esse tipo específico de câncer.

Depois, há outra revelação interessante: a queimadura solar pode não ser a causa de melanoma, mas apenas um indicador de que você está propenso ao melanoma. Parece uma coisa estranha de se dizer, mas um estudo recente relatou[31]:

> Infelizmente, alguns aspectos da promoção e da análise do uso de filtro solar são controversos. Muitos tomam a perspectiva de que, se as queimaduras solares estão fortemente associadas ao desenvolvimento de melanoma, e filtros solares são capazes de prevenir queimaduras solares, então, protetores solares vão prevenir o melanoma.
>
> No entanto, é provável que a queimadura seja um indicador claro da interação entre a exposição excessiva ao sol e um fenótipo suscetível – ou seja, a severa exposição solar de uma pele não acostumada a isso – em vez de uma causa direta de melanoma e carcinoma basocelular.

Em outras palavras, não é que a queimadura solar cause necessariamente o câncer, mas as pessoas mais suscetíveis ao câncer de pele queimam-se mais facilmente.

Então, o que podemos tirar de tudo isso?

1. Que protetores solares são excelentes para ajudar a prevenir o fotoenvelhecimento da pele e os carcinomas de células escamosas.
2. Que não há atualmente nenhuma evidência de que os protetores solares tenham alguma utilidade na luta contra os cânceres mortais de pele, como o melanoma e o carcinoma basocelular.
3. Que existem evidências de que pessoas que usam protetor solar regularmente têm, paradoxalmente, um risco muito maior de desenvolver melanoma.

4. Que, se você se queima facilmente ou está em um grupo de risco de melanoma (pele clara, olhos azuis ou verdes etc.), é muito importante que você evite queimaduras solares.
5. Que tomar banhos de sol sem protetor solar durante o verão, mas sem se queimar, confere maior proteção contra o melanoma do que usar protetor solar. Esse benefício não existe para os indivíduos de alto risco, que devem usar suplementos de vitamina D em vez da luz solar.
6. Que, se usados corretamente, os filtros solares permitem que o seu corpo absorva quantidade saudável de vitamina D.
7. Que, visto que a maioria das pessoas não usa protetores solares corretamente, esses usuários ainda estão recebendo um pouco, se não a quantidade ideal, de vitamina D durante o verão[32].

A verdade inconveniente sobre os protetores solares, o melanoma e o câncer geralmente parece ser esta: não há solução fácil. Se você quer a pele radiante e jovem, o preço da beleza parece ser um risco muito maior de câncer de mama, cólon e outros órgãos internos, doença cardíaca, doença de Alzheimer, esclerose múltipla, doença mental ou uma série de outros males que mantivemos fora deste livro.

Em suma, é uma troca. Quanto menos luz solar você pegar, mais feliz o seu dermatologista será. Mas mais ricos o seu oncologista, cardiologista e psicoterapeuta se tornarão.

Então, se você é uma daquelas pessoas que se queimam com facilidade ou que – apesar do que você leu aqui sobre os benefícios naturais da radiação UV – não quer passar tempo no sol, como conseguirá vitamina D suficiente? Como estamos prestes a ver, existem algumas opções alternativas.

Vitamina D: melhores fontes

"Uma ampla gama de estudos epidemiológicos e laboratoriais combinados fornece evidências convincentes do papel protetor da vitamina D no risco de câncer de mama."

– Dermato-Endocrinology Journal, 2012.

Quanta vitamina D devemos consumir? Quanto pode ser considerado excesso ou prejudicial? Onde podemos obtê-la?

Para responder a essas perguntas, temos que, primeiramente, entender o processo. Os alimentos fornecem apenas uma quantidade limitada de vitamina D.

"A menos que as dietas incluam grande quantidade de peixes ricos em gordura animal e pescados em rios ou oceanos, cogumelos *shiitake* secos ao sol ou carne de rena selvagem, você pode esquecer sobre ingestão de vitamina D adequada a partir de uma dieta saudável", diz o Dr. John Cannell, do Conselho de Vitamina D.

Para chegar a 2.000 UI ao dia apenas por meio da ingestão de alimentos, você precisaria comer 50 ovos por dia, ou nove blocos de 1 kg de queijo suíço, ou 2 kg de salmão. Qualquer coisa menos do que isso é inútil.

O único alimento que chega perto de fornecer uma quantidade de vitamina D razoável são os cogumelos secos ao sol. Os da qualidade *shiitake* são os mais indicados, embora você possa usar também os *champignons* ou os castanhos lisos. Os cogumelos, como os seres humanos, fabricam vitamina D quando atingidos pela luz solar. Não é a variedade D3, que é a melhor para nós, mas a vitamina D2, criada por plantas e conhecida como ergocalciferol. Ela não é tão eficiente quanto a processada por nossos corpos, e a maioria dos relatos de toxicidade da vitamina D tem surgido a partir da prescrição de vitamina D2 das dietas veganas.

A vitamina D3 é armazenada em nossos corpos por semanas, enquanto a vitamina D2 é processada em horas ou dias. No entanto, aqui está a notícia. Cerca de 100 g de cogumelos deixados para secar na varanda dos fundos no sol do verão por seis horas ao dia, dois dias seguidos, criarão em torno de 46 mil unidades de vitamina D2. Se você secar o suficiente deles e armazená-los bem, terá uma boa quantidade de vitamina D2 semanal disponível ao longo do inverno[1].

Na Austrália Ocidental, os produtores comerciais de cogumelos têm especulado sobre isso e estão colocando cogumelos com vitamina D2 reforçada nos supermercados. Eles estão usando grandes e poderosas luzes UV para cultivar seus cogumelos sob abrigos, e garantem que três cogumelos poderão fornecer a dose diária recomendada de vitamina D para os australianos.

"Leva apenas dois ou três segundos para que os cogumelos gerem uma quantidade de vitamina D que ultrapassa a ingestão diária recomendada", informou um jornal da indústria alimentar[2].

É uma boa maneira de transformar um problema de saúde pública em uma oportunidade de *marketing* de refeição diária. De longe, a maior fonte de vitamina D, no entanto, é a luz solar.

Se você tomar sol durante meia hora, vai gerar algo entre 20 mil e 30 mil UI de vitamina D. Isso é o limite superior. Depois de atingir esses níveis, a pele interrompe o processamento de vitamina D, embora a exposição ao sol ainda mantenha-se constante. Em outras palavras, o corpo cria e armazena tanto quanto ele precisa, e não mais.

Para obter 20 mil UI a partir de sua dieta em meia hora, você teria que comer 40 porções de salmão, beber entre 200 e 500 copos de leite fortificado com vitamina D (os países fortalecem em diferentes níveis) ou engolir 20 pílulas de 1.000 UI de suplemento. Obviamente, isso não vai acontecer.

Os estoques de vitamina D que o seu corpo constrói ao longo do verão e do outono são necessários para mantê-lo durante o inverno, mas, nos meados dessa estação, eles já foram usados, deixando-o à mercê das doenças, que muitas vezes batem forte no inverno e na primavera.

Como você leu neste livro, muitos estudos têm mostrado um forte efeito benéfico de doses diárias superiores (2.000 a 4.000 UI) às oficialmente recomendadas[3]. Embora os órgãos reguladores de saúde do governo mantenham-se resistentes sobre elevar os níveis de vitamina D, o público e seus médicos estão tomando a matéria em suas próprias mãos. Ainda assim, você pode não estar recebendo os plenos benefícios de uma boa dose de vitamina D.

"Muito poucos seres humanos obtêm quantidade suficiente de vitamina D, mesmo ao ingerir vários milhares de unidades por dia", alerta o pesquisador John Cannell. Ele cita um estudo que comparou os níveis de vitamina D de um grupo de havaianos que tomavam sol diariamente a um grupo de mães que amamentavam recebendo 6.400 UI em suplementos diários. O estudo descobriu que as mães que recebiam mais vitamina D estavam usando uma quantidade tão grande dela para o seu metabolismo diário que quase nada estava sendo armazenado para combater doenças e aumentar a imunidade[4].

"Isso implica que praticamente todo mundo tem uma deficiência crônica [vitamina D], pelo menos no inverno", diz Cannell. "Devido a isso, a maioria dos indivíduos tem deficiência funcional de vitamina D e, assim, talvez um risco mais elevado para as doenças."

O problema pode ser expresso em termos de baterias portáteis. O sol do verão é como uma carga noturna completa para a bateria do computador. Suplementos diários são como a carga lenta que a bateria recebe enquanto você usa o computador portátil com o cabo de alimentação ligado. Se a bateria estiver fraca e você desconectar o cabo, ela vai acabar rapidamente.

Pense nisso por um momento. Se você não construir bons estoques de vitamina D no verão, ou por outros meios, mesmo altos suplementos diários não farão tanto pela sua saúde como poderiam. Claro, eles são melhores do que nada, mas essa é uma das razões pelas quais é difícil virar as costas para a luz solar. É impossível ter uma *overdose* de vitamina D gerada por meio de raios UV, mas é possível uma *overdose* de vitamina D ingerida por via oral.

As autoridades de saúde enviaram mensagens para os médicos instando-os a não solicitar exames de sangue para a deficiência de vitamina D porque eles são caros, podendo custar de US$ 50 a US$ 100. Melhor e mais barato, dizem os órgãos de saúde, é simplesmente fornecer uma receita, sem perguntas.

O único problema com essa lógica é que, se o seu médico não sabe quais são seus níveis reais de vitamina D, ele não saberá que quantidade da vitamina dar a você para o estoque nem para a manutenção diária. Pesquisas internacionais apontam que um paciente deve ser testado duas vezes: uma vez no início da primavera, para encontrar seus níveis mais baixos de vitamina D, e uma vez no final do verão, para o seu nível de pico.

Na Nova Zelândia, por exemplo, a prescrição médica padrão é uma pílula oferecendo 50 mil UI por mês – aproximadamente o equivalente a banhos de sol durante trinta minutos duas vezes em dois dias. Ao longo de um mês, a média fica longe da dose de cerca de 1.500 UI ao dia, que, quando comparada com as 6.400 UI diárias dadas às mulheres lactantes, não é nada. As mães não conseguiram armazenar grande parte das 6.400 UI para combater tipos de câncer, então, como uma parte considerável da dose de 1.500 UI prescrita iria recarregar as baterias? Não poderia.

Para provar o ponto, um estudo que deu uma dose semanal de 50 mil UI de vitamina D a pacientes com deficiência durante quatro semanas e, em seguida, 50 mil UI por mês durante um ano conseguiu aumentar os níveis no sangue de 11 ng/ml iniciais para 30 ng/ml após seis meses, índice que se manteve pelo resto do estudo, apesar das doses aparentemente grandes.

São as quantidades excedentes de vitamina D em seu sistema, após o uso pelas funções corporais básicas, que são apreendidas pelos vários receptores de vitamina D (RVD) em todos os seus órgãos e usadas para a sua proteção, razão pela qual os efeitos da vitamina D sobre a saúde podem ser vistos em uma escala móvel. Pessoas com níveis de 30 ng/ml no sangue têm mais proteção que as pessoas com 20 ng/ml, mas as pessoas com 50 ng/ml têm benefícios ainda maiores.

"Se um número suficiente de substrato D25(OH) está disponível, múltiplos tecidos ficam livres para produzir de forma autônoma e para regular localmente a quantidade de esteroide necessária para combater qualquer estado de doença em particular", diz John Cannell, acrescentando:

> O fato de que 20 mil UI de vitamina D podem ser produzidas na pele em trinta minutos de exposição ao sol, combinado com um mecanismo genômico básico de ação da vitamina D levanta questões profundas.
>
> Por que a natureza desenvolveu um sistema que proporciona enormes quantidades de um precursor de esteroides depois de apenas breves períodos de exposição ao sol? Será que a seleção natural propiciaria a evolução de tal sistema se o resultado extraordinariamente alto que ele alcança não fosse importante?

A maioria das pessoas que conseguem alcançar os níveis ideais de 50-70 ng/ml de vitamina D no sangue tem conseguido isso por meio da exposição aos raios UV e do auxílio da suplementação nos meses mais frios.

Os pesquisadores de Cannell estimam que um suplemento diário de 1.000 UI aumenta os níveis de sangue em cerca de 10 ng/ml ao longo de um período de três meses, de modo que um adulto médio que ingerir

2.000 UI deve ser capaz de ir de 10 ng a 30 ng/ml durante esse tempo. No entanto, movendo-se mais para cima do intervalo, os aumentos não são lineares, e, se você começar com uma base de 30 ng/ml, pode precisar de quantidades mais elevadas para chegar a 50 ng/ml com 2.000 UI.

Um estudo com canadenses de meia-idade recebendo suplementação de 4.000 UI por dia durante seis meses conseguiu elevar seus níveis sanguíneos médios até 44 ng/ml sem efeitos secundários[5]. Outro estudo mostrou que homens adultos saudáveis podem converter 5.000 UI por dia de vitamina D[6].

"No que diz respeito à segurança, a luz solar é superior à suplementação oral", escreve a pesquisadora Carol Wagner[7]:

> A vitamina D da exposição à luz solar não se torna tóxica; no entanto, as pessoas podem ter problemas de toxicidade com a ingestão excessiva de vitamina D por via oral. Em um adulto, verifica-se que o limite superior da tolerabilidade de vitamina D é um consumo diário de milhares de unidades internacionais de vitamina D – superior a 10 mil UI/dia.
>
> Há um mecanismo de segurança relacionado à vitamina D oriunda da luz solar: ela desencadeia a regulação negativa de certos sistemas de enzimas no nosso corpo e a regulação positiva de outros, eliminando os metabólitos que não são necessários pelo organismo. A exposição à luz solar criteriosa ainda não é um fator claramente delimitado; no entanto, sabe-se que o excesso pode levar a queimaduras solares, fotoenvelhecimento e câncer de pele.

Há razões importantes para se evitar a automedicação. John Cannell adverte aos médicos que prescrevem vitamina D que uma enzima conhecida como citocromo P450 desempenha papel essencial na utilização da vitamina D pelo corpo.

"Portanto, medicamentos dependentes de enzimas do citocromo P450 – e há muitos – podem afetar o metabolismo da vitamina D."

Cannell diz que alguns medicamentos elevam os níveis de vitamina D, enquanto outros os reduzem, por isso, os médicos devem testar o sangue com frequência se os pacientes tomam medicamentos e mais do que 2.000 UI de vitamina D por dia.

Como regra geral, Cannell aconselha as mães grávidas a solicitarem a prescrição de 5.000 UI de vitamina D por dia de seus médicos, com o fundamento não só de que a vitamina é essencial para o desenvolvimento humano, mas também de que os testes em animais (testes controlados em humanos sobre esse aspecto não podem ser realizados por razões éticas) mostraram que, quando as fêmeas grávidas são privadas de vitamina D, seus filhos sofrem lesão cerebral permanente[8]. Para as mães que estão amamentando, Cannell recomenda 7.000 UI por dia, o que os pesquisadores dizem que é suficiente para manter os níveis de vitamina D materna e fornecer a quantidade adequada para o bebê. Se as mulheres não têm níveis ideais, os bebês amamentados precisarão de um adicional de 800 UI em suplementos por dia[9].

Fórmulas de leite para bebês contêm vitamina D, mas Cannell diz que os bebês deveriam estar recebendo outros 400 UI por dia além da suplementação no leite em pó e que crianças e jovens devem receber suplementação de 1.000 UI e 2.000 UI por dia durante todo o ano. As dosagens de 2.000 UI por dia foram consideradas seguras para crianças com idade acima de 1 ano.

A vitamina D pode ser tóxica em doses elevadas. Quão elevadas? Bem, os limites superiores ainda estão sendo testados. Não é considerado desejável ter rotineiramente níveis acima de 100 ng/ml, o que é algo inatingível mesmo que você tome sol durante todo o verão e ainda tome suplementos comuns. A maioria de nós, mesmo sob essas circunstâncias, ainda precisa lutar para alcançar 50 ng/ml[10].

Em algumas partes do mundo e para alguns indivíduos, os níveis de vitamina D são tão ruins que os médicos têm administrado injeções contendo 600 mil UI em pacientes idosos, elevando com sucesso os níveis de uma taxa quase fatal de 2 ng/ml para 27 ng/ml ao longo de seis semanas. Um estudo no *Australian Medical Journal* recomendou doses de 600 mil UI para os idosos a cada outono para uma cobertura durante o inverno e a primavera[11].

Na Nova Zelândia, os médicos administraram doses de 50 mil UI por dia durante dez dias para elevar o armazenamento de vitamina D dos pacientes e não encontraram efeitos nocivos: "Este regime oferece uma forma simples, segura e eficaz de gestão da deficiência de vitamina D. A sua natureza de curto prazo pode resultar em maior adesão do que regimes de dosagem diárias", informou o estudo[12].

No final de 2010, no entanto, a burocracia de saúde dos EUA pesou no debate sobre a vitamina D com um relatório controverso[13] que muitos na indústria viram como demasiadamente cauteloso. Por ser anterior a muitos dos estudos detalhados neste livro, alguns dos seus argumentos foram agora substituídos, mas sua linha de raciocínio era basicamente a seguinte:

> A vitamina D proporciona benefício comprovado para o sistema muscular esquelético, e o aumento da ingestão pode ser justificado com base nisso. Todavia, enquanto há evidências de uma associação entre a vitamina D e uma série de outras questões como câncer e doenças cardiovasculares, não foram realizados estudos randomizados controlados suficientes, de modo que ainda não existem provas sólidas.

Coletivamente, milhares de cientistas e pesquisadores médicos na vanguarda dos estudos de vitamina D ficaram surpresos. Eles sabiam que eram necessários mais estudos randomizados, mas também sabiam que as evidências encontradas até o momento eram inegáveis. A pesquisa sobre a vitamina D, eles apontaram, era extremamente forte em alguns casos.

Pareceu, para muitos, que a política estava se intrometendo na ciência. Entre os críticos, estava o diretor executivo do Conselho de

Vitamina D, Dr. John Cannell, que emitiu a seguinte declaração em 30 de novembro de 2010:

> Hoje o Conselho de Alimentação e Nutrição do Instituto de Medicina falhou imensamente...
>
> Após 13 anos de silêncio, a agência quase governamental, o Conselho da Alimentação e Nutrição (CAN) do Instituto de Medicina (IM) recomendou hoje que um bebê prematuro de 1,4 kg recebesse praticamente a mesma quantidade de vitamina D que uma mulher grávida de 120 kg. Enquanto a dose de 400 UI/dia está próxima da adequada para lactantes, a de 600 UI/dia para mulheres grávidas não surtirá efeito algum contra as três maiores epidemias da infância, estreitamente associadas à deficiência de vitamina D durante a gestação e no início da vida do bebê: a asma, as doenças autoimunes e, como relatado recentemente na maior revista pediátrica do mundo, o autismo. O professor Bruce Hollis, da Universidade de Medicina da Carolina do Sul, mostrou que mulheres grávidas e lactantes precisam de pelo menos 5.000 UI/dia, não 600.
>
> O CAN também relatou que a toxicidade da vitamina D pode ocorrer com a ingestão de 10 mil UI/dia (250 microgramas/dia), embora eles não tenham apresentado evidência reprodutível de que 10 mil UI/dia tenham alguma vez causado toxicidade em seres humanos, e apenas um único estudo mal conduzido tenha indicado que 20 mil UI/dia podem causar leve elevação do cálcio sérico, mas não toxicidade clínica.
>
> Visto com outro peso, esse relatório do CAN recomenda que uma criança deve ingerir 10 microgramas/dia (400 UI), e uma mulher grávida, 15 microgramas/dia (600 UI). Dado que uma única sessão de trinta minutos de luz solar durante o verão oferece aos adultos mais de 10 mil UI (250 microgramas), o CAN está aparentemente alertando que a entrada natural de vitamina D – como ocorria a

partir do sol antes do uso difundido do protetor solar – é perigosa. Ou seja, ele está insinuando que Deus não sabe o que está fazendo.

Perturbadoramente, essa comissão do CAN focou na saúde dos ossos, exatamente como fizeram há quatorze anos. Eles ignoraram os milhares de estudos dos últimos dez anos que concluíram que altas doses de vitamina D ajudam a saúde do coração, do cérebro, das mamas, da próstata, do pâncreas, dos músculos, dos nervos, dos olhos, do sistema imunológico, do cólon, do fígado, do humor, da pele e, especialmente, a saúde fetal.

Dezenas de milhões de mulheres grávidas e seus bebês estão gravemente deficientes de vitamina D, resultando em um grande aumento de uma doença medieval, o raquitismo. O relatório do CAN parece raciocinar que, se tantas mulheres grávidas têm baixos níveis de vitamina D no sangue, então está tudo bem, porque níveis tão baixos são bastante comuns. No entanto, tal lógica representa simplesmente a realidade da vida nas cavernas que a maioria das mulheres grávidas de hoje em dia vive (nunca se expondo à luz solar).

Portanto, se você deseja otimizar seus níveis de vitamina D – e não apenas a saúde óssea – a suplementação é crucial. Mas é quase impossível aumentar significativamente os seus níveis de vitamina D quando o suplemento é de apenas 600 UI/dia.

As mulheres grávidas que ingerem 400 UI/dia têm os mesmos níveis sanguíneos das mulheres grávidas que não ingerem vitamina D; ou seja, 400 UI é uma dose sem efeito algum para mulheres grávidas. Mesmo consumindo 2.000 UI/dia da vitamina, isso só aumentará os níveis séricos na maioria das mulheres grávidas em cerca de 10 pontos, dependendo principalmente do seu peso. O professor Bruce Hollis mostrou que 2.000 UI/dia não elevam a taxa de vitamina D a níveis saudáveis ou naturais em mulheres grávidas ou lactantes. Complementar com dosagens mais elevadas – como 5.000 UI/dia – é crucial para aquelas mulheres que querem que seu feto desfrute de ótimos níveis de vitamina D e dos benefícios de saúde futuros que virão por consequência.

Por exemplo, tomando apenas dois das centenas de estudos publicados recentemente: o professor Urashima e seus colegas no Japão administraram 1.200 UI/dia de vitamina D3 durante seis meses a crianças japonesas com 10 anos de idade em um estudo aleatório controlado. Eles descobriram que a vitamina D reduziu drasticamente a incidência de influenza A, bem como os episódios de ataque de asma em crianças tratadas, enquanto o grupo placebo não teve tanta sorte. Se o Dr. Urashima tivesse seguido as mais recentes recomendações do CAN, é improvável que 400 UI/dia tivessem surtido qualquer efeito, e alguns dos jovens adolescentes tratados poderiam ter tido prejuízos graves sem a vitamina D.

Da mesma forma, um estudo aleatório controlado de prevenção realizado pelo professor Joan Lappe e seus colegas da Universidade de Creighton mostrou melhorias dramáticas na saúde dos órgãos internos de adultos usando mais do que o dobro das novas recomendações do CAN.

Por fim, o comitê do CAN consultou quatorze especialistas em vitamina D e – depois de ler seus quatorze relatórios diferentes – decidiu suprimir os seus pareceres. Muitos desses quatorze consultores são pesquisadores famosos sobre a vitamina D, como o professor Robert Heaney, de Creighton ou o caso do professor Walter Willett, de Harvard, simplesmente o mais conhecido nutricionista no mundo. Então a CAN não vai nos dizer o que os professores Heaney e Willett acharam do seu novo relatório? Por que não?

Hoje o Conselho de Vitamina D instruiu o nosso advogado a apresentar um pedido federal de Liberdade de Informação para que o CAN do IM apresente esses quatorze relatórios.

A maioria dos meus amigos, centenas de pacientes e milhares de leitores das notícias do Conselho de Vitamina D (para não mencionar eu mesmo) têm ingerido 5.000 UI/dia por até oito anos. Eles não somente não relataram efeitos colaterais significativos, como também, na verdade, têm relatado melhorias na saúde de múltiplos sistemas orgânicos.

Meu conselho, especialmente para mulheres grávidas: continuem tomando 5.000 UI/dia até que o seu 25(OH)D esteja entre 50-80 ng/mL (os níveis sanguíneos de vitamina D obtidos por seres humanos que vivem e trabalham ao sol e o ponto médio da referência atual em todos os laboratórios americanos).

A deficiência de vitamina D gestacional está associada não apenas com o raquitismo, mas também com risco significativamente aumentado de pneumonia neonatal, risco dobrado de pré-eclâmpsia, triplicado de diabetes gestacional e risco quadruplicado para cesariana primária.

Hoje o CAN falhou com milhões de mulheres grávidas cujos bebês em gestação pagarão o preço. Esperemos que o CAN cumpra com o espírito de "transparência" respondendo rapidamente ao nosso pedido de Liberdade de Informação.

Na verdade, não demorou muito para que críticas profundas e de longo alcance contra o relatório do Instituto de Medicina começassem a emergir, especialmente depois de, como Cannell aludiu, ter sido avaliado por especialistas de vitamina D e ter sido considerado carente.

Um desses revisores, Robert Heaney, da Universidade de Creighton, foi o autor signatário de uma carta para a imprensa médica que destruiu o relatório da IM, da forma comedida os profissionais médicos estão acostumados a fazer[14]:

O relatório de Ross[15], sobre as recentes recomendações de cálcio e vitamina D do Instituto de Medicina, tem o potencial de ser substancialmente enganoso. Em primeiro lugar, o título ("O que os médicos precisam saber") está incorreto. O foco de todas as recomendações do Conselho de Alimentação e Nutrição é, como o texto do artigo afirma, "pessoas normais saudáveis". Essas recomendações não têm aplicabilidade para pacientes doentes, ou para médicos tentando prevenir doenças em populações de risco. Essa distinção é algo que os médicos precisam saber.

O relatório também não dá nenhuma dica da dissidência substancial que as recomendações têm evocado na comunidade de investigação da vitamina D. O projeto de relatório havia sido submetido a peritos externos, e é de se esperar que as suas conclusões sejam colocadas à disposição do painel.

Embora os detalhes dessas avaliações estejam protegidos por juramento de sigilo, é evidente, a partir dos comentários publicados por vários deles (os revisores), que a avaliação encontrou erros tanto factuais quanto estratégico/analíticos. Algum reconhecimento dessa dissidência teria sido útil. Infere-se também que deve ter havido dissidência dentro do próprio painel, pois um dos seus membros foi coautor das diretrizes canadenses[16], que recomendavam especificamente entradas de colecalciferol aproximadamente três vezes maiores do que as do Instituto de Medicina. Assim, ao invés de ser uma questão resolvida, os médicos precisam saber que as recomendações do IM não representam um consenso.

Não há espaço aqui para contar os muitos erros factuais no relatório do Instituto de Medicina, alguns descritos em outros lugares[17]. Mas dois em particular são, segundo nosso julgamento, sugestivos de como o painel abordou a evidência...

O que se seguiu foram discussões altamente técnicas amarradas com frases como "o volume osteoide (OV/BV) acima de 1% para 25(OH)D > 32 ng/ml" ou "não obstante, o painel do IM aceitou 20 ng/ml como o nível mais baixo considerado normal, apesar do fato de que aproximadamente metade dos indivíduos entre 20 e 32 anos tinham valores de OV/BV acima de 1% (e variando até 4,5%)..."

No final, a acusação pareceu se render à política.

Em ambos os casos, não parece ter sido um esforço para desacreditar ou distorcer estudos que eram incompatíveis com a proposta do painel de 20 ng/ml como limite inferior para o estado normal de vitamina D.

Finalmente, na sua conclusão, Ross *et al.* pedem por mais estudos aleatórios controlados. Isso é tão senso comum que poderia parecer inteiramente razoável. Em vez disso, se esquiva da responsabilidade do painel de lidar com a evidência disponível. A maioria dos estudos "necessários" é simplesmente inviável (8), uma vez que exigiria grupos de contraste de baixo consumo com níveis séricos de 25(OH)D, abaixo até mesmo da já baixa recomendação do IM. Tais ensaios seriam antiéticos. Uma vez que não podem ser feitos, essa suposta "necessidade" deixa as questões de política nutricional críticas em uma espécie de limbo permanente.

O pesquisador Dr. William Grant entrou na discussão, observando que o IM havia escolhido os estudos de que gostava e ignorado os de que não gostava, como os que você leu neste livro. "O comitê pareceu ter a tendência de excluir os ensaios clínicos sobre consequências como o câncer, a incidência da gripe e os efeitos durante a gravidez que não estavam em conformidade com as suas eventuais recomendações", disse Grant em uma revisão de 2012[18]:

> Este relatório tem sido severamente criticado pela comunidade de pesquisa da vitamina D, com mais de 125 publicações em revistas até a presente data em desacordo com as suas recomendações. Um documento de representação afirmou que "as recomendações do IM com relação à vitamina D falham de forma decisiva na lógica, na ciência e na orientação eficaz da saúde pública. Além disso, ao não utilizar um referencial fisiológico, a abordagem do IM constitui precisamente o modelo errado para o desenvolvimento da política nutricional"[19].

O caso que poderia ser divulgado é que o comitê do IM, ajustando a dose recomendada de forma exageradamente baixa, está colocando a população dos EUA em um risco muito mais alto para a saúde. Além disso, grande parte do resto dos países do mundo recorre ao relatório da IM para orientação, colocando a maior parte da população do mundo em risco."

Ponderando a posição do Instituto de Medicina, os pesquisadores voltaram a testar os milhares de estudos já realizados: há evidência suficiente já estabelecida para justificar altas doses de vitamina D como um preventivo? Sua conclusão: sim, e as pessoas provavelmente não devem esperar pelo conselho oficial antes de começarem a agir[20]:

Uma ampla gama de estudos epidemiológicos e laboratoriais combinados fornece evidências convincentes de um papel protetor da vitamina D sobre o risco de câncer de mama. Essa revisão avalia a evidência científica para tal papel no contexto dos critérios para causalidade da A.B. Hill, a fim de avaliar a presença de uma relação inversa causal entre o nível de vitamina D e o risco de câncer de mama.

Após a avaliação dessa evidência no contexto dos critérios de Hill, verificou-se que os critérios para uma relação causal foram amplamente satisfeitos.

Estudos em populações humanas e em laboratório demonstraram consistentemente que a vitamina D desempenha um papel importante na prevenção do câncer de mama.

A suplementação de vitamina D é uma necessidade urgente, de baixo custo, eficaz, e uma estratégia de intervenção segura para a prevenção do câncer de mama, que deve ser implementada sem demora. Entretanto, estudos aleatórios controlados com altas doses de vitamina D3 para a prevenção do câncer de mama devem ser realizados para fornecer as provas necessárias e orientar a política nacional de saúde pública.

Em junho de 2012, a Sociedade de Endocrinologia publicou a sua própria declaração sobre a vitamina D, observando "uma forte associação" entre a vitamina e uma gama de problemas de saúde, conforme descrito neste livro. No entanto, com a falta de estudos controlados em muitas áreas, a Sociedade não poderia dar um passo à frente das provas e fazer recomendações gerais[21].

Embora pesquisas futuras possam demonstrar claros benefícios da vitamina D em relação ao câncer e, possivelmente, dar suporte ao aumento da necessidade de ingestão para esse fim, a evidência existente ainda não atingiu esse patamar.

Estão surgindo evidências de que a vitamina D pode regular diretamente a função da imunidade, tanto inata quanto adaptativa. No entanto, serão necessários grandes e bem concebidos estudos clínicos para provar que a suplementação de vitamina D pode aumentar a imunidade inata ou reduzir a gravidade das doenças autoimunes.

Em resumo, permanece a necessidade dos grandes estudos clínicos controlados e dados de resposta às doses para testar os efeitos da vitamina D sobre a evolução das doenças crônicas, tais como a autoimunidade, a obesidade, o diabetes mellitus, a hipertensão e as doenças cardíacas.

O problema é que estudos aleatórios controlados são caros. Normalmente, eles são realizados por empresas em posse da patente de uma droga que poderão então vender sob licença por bilhões para recuperar os custos da pesquisa. Mas a vitamina D não é patenteável, é natural e barata. As empresas farmacêuticas não estão exatamente ansiosas em financiar estudos completos da vitamina D3 por duas razões. 1: elas não arrecadam nenhum dinheiro; 2: se for comprovado que a vitamina D_3 realmente melhora a sua saúde, na medida em que os pesquisadores agora acreditam, isso poderia representar uma queda enorme nos lucros das empresas farmacêuticas em face da queda na procura dos seus medicamentos. Que pode ser também a razão pela qual algumas instituições médicas estão retardando os estudos da vitamina D.

Há também o fato de que alguns estudos em humanos seriam simplesmente antiéticos. Não podemos matar um bebê ou um feto por carência de vitamina D em um estudo. Existem, portanto, áreas consideráveis de pesquisa que não podemos impulsionar à enésima potência, mas que dependem tão somente de estudos observacionais após o fato.

Apesar da gritante necessidade de estudos complementares, poucos foram realizados:

> A função e a exigência de vitamina D durante a gravidez para a mãe e para o feto permanecem um mistério. Esse fato foi destacado por *The Cochrane Review*, em 2000, que citou a falta de estudos clínicos aleatórios referentes aos requisitos de vitamina D durante a gravidez. Infelizmente, durante a última década, apenas um único estudo desse tipo foi realizado[22].

Esse estudo, aliás, foi realizado por pesquisadores de vitamina D por sua própria iniciativa. A conclusão parece ser uma escolha simples: nós, como membros do público, devemos começar a elevar nossos níveis de vitamina D, já que ela não pode nos fazer mal, até trazê-los aonde a natureza espera que eles estejam, ou devemos nos sentar e esperar por toda a burocracia?

A posição da Nova Zelândia: um comentário

"O Ministério da Saúde afirma que não são necessários suplementos."

– NZ Listener, 2012.

Há grandes discrepâncias entre o que é considerado uma ingestão deficiente de vitamina D e o que não é. A deficiência foi definida na Pesquisa de Nutrição da Criança, em 2002, pelos níveis sanguíneos de vitamina D inferiores a 17,5 nmol/L (8 ng/ml)[1], enquanto o Conselho Internacional da Vitamina D classificaria tais níveis como "muito deficientes".

Níveis inferiores a 25 nmol/L (10 ng/ml), hoje internacionalmente aceitos como "seriamente deficientes", são classificados pelas autoridades da Nova Zelândia apenas como "moderadamente deficientes". Até mesmo o termo "deficiente" não aparece por aqui até que o nível esteja abaixo de 17 nmol/L (7 ng/ml)[2]. Trata-se de um discurso deliberadamente ambíguo ou simplesmente um reflexo da sagacidade burocrática da saúde de Wellington? Parece ser a última opção a mais correta.

Já que o Ministério da Saúde da Nova Zelândia ainda está em negação sobre os benefícios da vitamina D na luta contra qualquer doença que não seja o raquitismo, mesmo depois de sete anos, ele ainda define a suficiência da vitamina D relacionando-a apenas com a saúde óssea, o que é um erro estratégico[3]. Ossos requerem doses muito mais baixas de vitamina D para manter sua boa saúde, ou seja, só porque você tem níveis "adequados" de vitamina D nessa área, não significa que tenha quantidade suficiente da vitamina para combater o câncer ou as doenças cardíacas.

Esse jargão, em documentos políticos para médicos e meios de comunicação, sugere – intencionalmente ou não – que o problema da vitamina D na Nova Zelândia não é tão grave assim. A mídia neozelandesa de notícias provavelmente não aprecia as sutis nuances do discurso e simplesmente assume que, quando o Ministério da Saúde diz que apenas 10% das crianças da Nova Zelândia estão deficientes de vitamina D, isso se baseia em uma escala equivalente à usada no exterior. Infelizmente, não é essa a realidade.

As autoridades de saúde do Catar, por exemplo, dizem que as crianças com "menos de 20 ng/ml de vitamina D são consideradas deficientes". Ainda assim, burocratas neozelandeses classificam a metade desse valor – 10 ng/ml – apenas como "moderadamente deficiente"[4].

É como se você pudesse fingir que uma epidemia não existe inventando suas próprias definições de deficiência, que não têm qualquer relação com as melhores práticas internacionais ou com os dados mais recentes de pesquisas. No ensolarado Catar, eles encontraram 36% de crianças deficientes em vitamina D. Na mais fria e nublada Nova Zelândia, fomos informados de que apenas 10% das crianças são "deficientes".

A pressão dos relatos da imprensa independente em 2005 e novamente no início de 2008 levou o Ministério da Saúde da Nova Zelândia e a Sociedade do Câncer a emitirem uma declaração de posição. Embora reconhecendo que a exposição solar traz benefícios pela absorção de vitamina D e recomendando que as pessoas se exponham ao sol fora do horário de pico no verão e durante as horas de pico no inverno, as duas organizações, em última análise, resignaram-se e preferiram evitar o confronto[5]:

A vitamina D é um hormônio que tem receptores localizados nos tecidos dos órgãos de todo o corpo. Uma pesquisa recente sugere possíveis efeitos benéficos da exposição à radiação UV solar na prevenção ou na melhoria do resultado do tratamento para uma série de doenças, incluindo câncer de mama, da próstata e colorretal, linfoma não-Hodgkin, diabetes, doenças autoimunes (por exemplo, esclerose múltipla) e hipertensão.

Embora a vitamina D possa ser um fator que contribui para a redução do risco dessas doenças, não se sabe claramente se existem outros fatores, diferentes da vitamina D, que possam desempenhar um papel importante.

Não há evidências suficientes para supor que a suplementação de vitamina D e a exposição solar são equivalentes em seus efeitos benéficos. Portanto, no momento, nenhuma ação definitiva pode ser tomada sobre esses resultados nem quaisquer recomendações podem ser formuladas, já que mais pesquisa é necessária.

Isso foi em 2008. A maioria dos estudos que você leu neste livro foi publicada depois disso. Um leitor justo e razoável poderia muito bem dizer que o júri está completamente correto. Portanto, foi com alguma surpresa que, na sua declaração de posição revisada em 2012, as duas agências declararam[6]:

> Um número de evidências em rápido crescimento identificou a associação entre baixos níveis de vitamina D e consequências na saúde não óssea, tais como câncer colorretal, doença cardiovascular, doenças autoimunes e mortalidade por qualquer causa, mas até agora não há nenhuma evidência de um papel causal (Instituto de Medicina, 2011).
>
> Na ausência de evidências convincentes de pesquisas de intervenção, não há base para a sua inclusão nas políticas públicas atualmente[7].

Assim, com base no raciocínio desacreditado dos burocratas do Instituto de Medicina, a Nova Zelândia ainda está desconversando. Os leitores podem julgar por si próprios se a ciência citada neste livro é convincente o suficiente para justificar o aumento dos seus próprios níveis de vitamina D.

A Declaração de Consenso[8] ainda se recusa a admitir que suas próprias recomendações de ingestão de vitamina D são "seriamente deficientes".

A maioria dos estudos científicos e médicos que você leu revelaram uma escala de benefícios para a saúde – quanto mais vitamina D no sangue, melhor será o resultado de sobrevivência ou imunidade. Alguns dos níveis sanguíneos para alcançar isso têm sido tão elevados quanto 80 ng/ml (200 nmol/L).

Apesar disso, o relatório de Consenso diz:

> Algumas declarações políticas internacionais sobre a vitamina D têm definido como adequado um nível de 25(OH)D de 50 nmol/L [apenas 20 ng/ml] ou mais (Instituto de Medicina, 2011; Academia Americana de Dermatologia e Associação AAD, 2010).
>
> Há também uma variação no uso e definição dos termos "adequado", "suficiente" e "ideal", devido à falta de evidências. Com base no conhecimento disponível, não é possível determinar um nível ideal, mas ambicionar níveis mínimos de 25(OH)D de 50 nmol/L parece ser prudente.

A política por trás disso pode ser vista pelos especialistas que o Ministério da Saúde e a Sociedade do Câncer escolheram citar em relação aos níveis "adequados" de vitamina D: "Instituto de Medicina, 2011; a Academia Americana de Dermatologia e a Associação AAD, 2010".

Há milhares de cientistas, médicos e pesquisadores mais qualificados para comentar sobre a suficiência de vitamina D do que a Associação de Dermatologia. O relatório do Instituto de Medicina recebeu uma pancada tão forte de quatorze especialistas em vitamina D convidados a fazer uma avaliação aos pares, que as suas críticas foram suprimidas. O que diz muito sobre a integridade do Instituto de Medicina e sobre a confiança do Ministério da Saúde da Nova Zelândia nele.

O Ministério da Saúde da Nova Zelândia quer nos fazer crer que apenas 4,9% dos adultos da Nova Zelândia são "deficientes" em vitamina D e apenas 0,2% são "muito deficientes". Outros 27,1% dos adultos, em 2008, "estavam abaixo dos níveis recomendados, mas não apresentavam deficiência"[9].

Antes de ler as definições de suficiência da Nova Zelândia, você não nota o quão perigoso tal discurso pode ser. Embora este livro esteja cheio de estudos científicos revisados aos pares que classificam como "deficiência grave" níveis abaixo de 10 ng/ml, a Nova Zelândia define como grave 5 ng/ml ou menos. Níveis de 5 ng/ml a 9,99 ng/ml são definidos na Nova Zelândia como "deficiência leve a moderada". Mais uma vez, no resto do mundo civilizado, esses números são vistos como "deficiência grave".

Níveis de 10 ng/ml a 20 ng/ml são chamados na Nova Zelândia de "abaixo do recomendado, mas não deficientes". Eu realmente espero que os meus colegas jornalistas, lendo isso agora, percebam o quanto o Ministério da Saúde da Nova Zelândia os tem enganado. Como você viu neste livro, níveis abaixo de 20 ng/ml são considerados como "deficientes" em qualquer outro lugar no mundo. Mesmo cientistas neozelandeses estão usando as definições internacionalmente aceitas[10].

Então, se redefinirmos a propaganda do Ministério da Saúde, o que realmente temos são 5,1% dos adultos da Nova Zelândia "seriamente deficientes", somados aos 27,1% que estão "deficientes", para um total de 32,2% de neozelandeses – um em cada três de nós – que têm deficiência de vitamina D.

O nível médio de vitamina D, para todos os indivíduos adultos na Nova Zelândia, é de apenas 25,2 ng/ml (63 nmol/L), ou seja, nossa média nacional é o que o resto do mundo chama de "insuficiência".

Um estudo recente de fora dos EUA envolvendo especialistas em câncer[11] define níveis de vitamina D de uma maneira que faz com que o Ministério da Saúde da Nova Zelândia pareça incompetente: "A classificação amplamente aceita é a de deficiência em <20 ng/ml [50 nmol/L], insuficiência entre 20-31 ng/ml [50- 77 nmol/L] e uma faixa ideal em ≥ 32 ng/ml [80 nmol/L][12]".

Quanto às alegações de que não existem estudos científicos que mostrem melhorias para pacientes que receberam vitamina D em estudos controlados, bem, isso não faz sentido. Todos os dias, relatórios como este estão aparecendo nas notícias internacionais[13]:

Um novo estudo de pesquisadores em Boston descobriu que a função pulmonar mais fraca em crianças asmáticas tratadas com corticosteroides inalados está relacionada com a deficiência de vitamina D.

Ann Chen Wu, MD, MPH, professora assistente no Departamento de Medicina da População na Faculdade de Medicina de Harvard e no Instituto de Assistência Médica Harvard Pilgrim, disse: "Em nosso estudo com 1.024 crianças com ligeira a moderada asma persistente, aquelas que eram deficientes em vitamina D mostraram menor melhoria no volume expiratório forçado no primeiro segundo com pré-broncodilatador (FEV1) após um ano de tratamento com corticoide inalatório do que as crianças com suficientes níveis de vitamina D".

O estudo, que foi publicado no *American Journal of Respiratory and Critical Care Medicine*, usou dados do Programa de Controle da Asma Infantil. Era um centro múltiplo de avaliação de crianças asmáticas entre 5 e 12 anos de idade, que foram distribuídas aleatoriamente para tratamento com nedocromil, budesonida (corticosteroide inalado) ou um placebo. Os níveis de vitamina D dos pacientes foram classificados como deficiente (≤ 20 ng/ml), insuficiente (20-30 ng/ml) ou suficiente (> 30 ng/ml).

O pré-broncodilatador FEV1 foi aumentado durante um período de tratamento de doze meses em 330 ml no grupo de insuficiência de vitamina D, que foi tratado com corticosteroides inalados. No grupo de suficiência de vitamina D, em crianças com o mesmo tratamento, houve um aumento de 290 ml, e no grupo com deficiência de vitamina D, apenas 140 ml de aumento.

Em outras palavras, nas crianças asmáticas com mais vitamina D, a medicação foi mais de duas vezes mais eficaz do que naquelas com níveis baixos de vitamina D. Não pode ser verdade, é claro, porque o Ministério da Saúde da Nova Zelândia e a Sociedade do Câncer dizem que tais estudos não existem.

Leitores com olhos afiados podem ter notado que os níveis sanguíneos de 20 ng/ml (50 nmol/L) foram considerados "deficientes" no estudo de Harvard em julho de 2012, embora seja o número que os figurões do Ministério da Saúde estão usando para tentar convencer os neozelandeses do que é uma boa meta a atingir. O nível definido como "suficiente" no estudo da asma é de 75 nmol/L, bem acima da meta do Ministério da Saúde.

No mesmo dia da publicação do estudo de Harvard, outra agência de notícias relatou que o alto teor de vitamina D em pacientes com câncer de mama está relacionado a tumores menores, enquanto níveis deficientes de vitamina D levaram a tumores maiores[14]:

> Os benefícios da vitamina D pareceram particularmente mais significativos entre as mulheres na pós-menopausa com câncer de mama. Entre essas pacientes, aquelas com mais de 30 ng de vitamina D3 por ml de sangue no momento do diagnóstico (75 nmol/L) eram 85% mais propensas a sobreviver à doença e 57% mais propensas a ter intervalos livres dela do que aquelas que tinham menos de 30 ng/ml. O estudo concluiu que altos níveis de vitamina D no momento do diagnóstico precoce do câncer de mama estão relacionados com

tumores menores e maiores chances de sobrevivência no geral, além de melhores resultados específicos do câncer de mama, particularmente em pacientes na pós-menopausa.

O melhor aspecto sobre a vida em um país livre é que você pode escolher em quem você prefere acreditar, nos especialistas em câncer relacionados na revista *Carcinogenesis*, ou na equipe do Ministério da Saúde da Nova Zelândia, que diz que um nível de 20 ng/ml de vitamina D (50 nmol/l) é perfeitamente aceitável e que ainda menos do que isso é provavelmente suficiente. Tenha em mente, contudo, que o Ministério da Saúde optou por receber os seus conselhos sobre a suficiência de vitamina D de dermatologistas e de um fabricante de protetor solar.

Foi um dermatologista que disse a famosa frase "a ciência nunca provou que a falta de vitamina D provoca câncer"[15].

Para ser justo, porém, muitos dos excelentes estudos citados neste livro foram feitos por dermatologistas. É muito fácil desacreditar toda uma profissão baseando-se em declarações feitas por alguns. A porta-voz da Associação Britânica de Dermatologistas, Deborah Mason, entende a questão assim:

> Apreciar o sol com segurança, tendo o cuidado para não se queimar, pode ajudar no aproveitamento dos benefícios da vitamina D sem elevar indevidamente o risco de câncer de pele. O tempo necessário para fabricar suficiente vitamina D é tipicamente curto e menor do que o tempo necessário para avermelhar ou queimar a pele. Ir para a rua regularmente por uma questão de minutos ao redor do meio-dia sem protetor solar deve ser suficiente.
>
> Em se tratando de exposição solar, pouca e frequente é o melhor, e quanto mais pele exposta, maior a chance de fabricar vitamina D suficiente antes de queimar-se[16].

Por falar em fabricantes de filtros solares, o que dizer da Sociedade do Câncer, uma organização buscando milhões de dólares em doações públicas a cada ano? O câncer mata um em cada três neozelandeses, mas as necessidades de muitos parecem ser vencidas pelas necessidades do poderoso *lobby* da dermatologia. Também é relevante, na minha opinião, que a Sociedade arrecade uma quantidade substancial de dinheiro com o negócio que envolve os "cuidados com o sol", particularmente à luz dos enormes questionamentos sobre a segurança e a eficácia dos protetores solares.

Enquanto isso, milhares de pessoas estão morrendo de doenças evitáveis enquanto chefes de saúde continuam a concentrar-se em um câncer que mata apenas algumas pessoas a cada ano, apesar do grande número de pessoas que o desenvolve.

Talvez esse debate controverso não se trate realmente sobre câncer de pele, mas sobre envelhecimento. Sim, os raios UV envelhecem a pele. Ao recusar-nos a envelhecer graciosa e naturalmente, batalhando pela manutenção da nossa juventude, agora estamos correndo um sério risco de não envelhecermos de jeito nenhum – de não viver tempo suficiente para envelhecer. Permanecer jovem. Morrer bonito. Mas morrer.

As pesquisas do exterior, e mesmo as da Nova Zelândia, citadas neste livro mostraram que a recomendação oficial do governo da Nova Zelândia de ingestão diária de apenas 200 UI de vitamina D é risível, ridícula e ultrapassada há décadas. Essa quantidade tão reduzida pode até ser suficiente para manter o raquitismo sob controle, mas não contribuirá em nada para estimular o seu sistema imunológico ou diminuir o risco de ataque cardíaco, acidente vascular cerebral ou câncer. E certamente não contribuirá para reduzir o risco de autismo ou de inúmeras outras doenças.

Uma grande revista neozelandesa publicou, no entanto, em abril de 2012, que apenas "pequenas quantidades" de exposição ao sol são necessárias para adquirir a proteção, "mas, se você está preocupado, pode elevar os níveis por meio da sua dieta: peixes gordos, gema de ovo, margarina e óleo de fígado de bacalhau, se for preciso"[17].

O conselho está errado, a não ser, é claro, que a revista realmente tenha pretendido dizer "peixe rico em gordura pescado no oceano, cogumelos *shiitake* secos ao sol ou carne de rena", sendo esta última um pouco escassa por aqui. A quantidade de leite fortificado que uma pessoa teria que beber para obter a dose de 20 mil UI equivalentes a meia hora ao sol seria de quinhentos copos. O paciente se afogaria muito antes de atingir essa meta.

"Se isso não combina com você", continua a reportagem de capa solicitamente, "você poderia ingerir suplementos, embora o Ministério da Saúde diga que os suplementos não são necessários para as pessoas sem nenhum problema ou fator de risco específicos."

Mais uma vez, um terrível e até mesmo fatal conselho. O objetivo principal da vitamina D é servir à prevenção no âmago da questão, em vez de ser a medicação da "última alternativa" uma vez que você já desenvolveu uma doença grave.

Esse é o mesmo Ministério da Saúde, no entanto, que define "deficiência" como menos de 17,5 nmol/L (8 ng/ml). Compare com esta afirmação do mais recente estudo científico australiano sobre deficiência de vitamina D: "Níveis de 25(OH)D <50 nmol/L (20 ng/ml) foram considerados deficientes em vitamina D"[18].

O Ministério da Saúde da Nova Zelândia diz que apenas 5% dos neozelandeses são "deficientes". Na ensolarada Austrália, eles dizem ser 31%[19]. Sob a minha própria leitura dos dados brutos da Nova Zelândia com a definição australiana, 32,2% dos neozelandeses são "deficientes". De acordo com a lei das probabilidades, quem tem a maior possibilidade de estar certo?

É também o mesmo Ministério da Saúde que informa aos jornalistas que "não há nível seguro de exposição aos raios UV cientificamente comprovado". O que pode soar sério até que você acorde, se belisque e perceba que o sol tem brilhado sobre os seres humanos desde que caminhamos sobre a Terra e que nossos corpos são projetados para processar a radiação UV para o maior proveito da nossa saúde.

Se o Ministério da Saúde quer ser pedante, "não há nível seguro de exposição cientificamente comprovado", também não há para as 20 mil peças de lixo espacial feitas pelo homem que estão orbitando sobre nossas cabeças 24 horas por dia, sete dias por semana, mas de alguma maneira nós sobrevivemos, e mortes por satélite são eventos relativamente raros[20]. A cada inspiração, estamos um passo mais perto da morte. Cada movimento que fazemos desgasta células e articulações. Tenho certeza de que alguém poderia defender a ideia de que devemos reduzir inspirações e ficar trancados dentro de um casulo seguro. Eu? Eu prefiro viver.

Dizer que os seres humanos devem evitar o sol não é natural, para não mencionar que não é científico; fazer isso é ignorar milhões de anos de experiência humana que provam o contrário. Fazê-lo seriamente é pura comédia, ainda que não seja intencional.

Provavelmente chegou a hora de os jornalistas da Nova Zelândia que estão atendendo ao *briefing* do Ministério da Saúde sobre a questão da vitamina D testarem as informações com as quais têm sido alimentados, para que assim descubram que é o alimento tradicionalmente usado para cultivar os anteriormente mencionados cogumelos *shiitake*.

A negação oficial por parte do governo da Nova Zelândia provavelmente tem mais a ver com o incrível poder do *lobby* da dermatologia no sistema de saúde neozelandês e a quantidade de dinheiro do contribuinte que tem sido investida nas campanhas de prevenção contra os raios solares. Especialistas em câncer, cardiologistas e endocrinologistas já têm amplo conhecimento disso agora e, em vez de lutar diretamente contra Wellington, estão simplesmente prescrevendo grandes quantidades de suplementos de vitamina D e um pouco de sol regularmente como parte da rotina de cuidados dos pacientes.

A vitamina D é tão barata e disponível, e seus benefícios são tão grandes, que os resultados falam por si sós.

Notas

Capítulo 1 – A História da vitamina D

[1] "Gray area", por Ken Marcella, D.V.M, http://www.horses-and-horse-information.com/articles/0701melanoma.shtml.

[2] Há duas formas principais de vitamina D. O ergocalciferol, conhecido como vitamina D2, é obtido a partir de fontes de alimento. O colecalciferol ou vitamina D3 é produzido quando a luz solar atinge a pele e converte o colesterol em um composto solúvel em gordura.

[3] "Uma abordagem dos benefícios e dos riscos para a saúde, envolvendo a vitamina D ou o câncer de pele, do aumento da exposição ao sol", Moan et al., Proceedings of the National Academy of Sciences, PNAS de 15 de janeiro, 2008 vol. 105, n. 2 668-673. http://www.pnas.org/content/105/2/668.long.

[4] "Diagnosis and treatment of vitamin D deficiency", Cannell et al., Journal of Expert Opinion in Pharmacotherapy, 2008, 9(1):1-12.

[5] "Vitamin D and calcium supplementation reduces cancer risk", Lappe et al., American Journal of Clinical Nutrition, 2007, 85(6):1586-91.

[6] "An estimate of the economic burden and premature deaths due to vitamin D deficiency in Canada", Grant et al., Mol. Nutr. Food Res. 2010, 54, 1172–1181, http://www.vitamindsociety.org/pdf/Grant%202010%20-%20vitamin%20D%20 deficiency%20in%20Canada.pdf.

[7] "Diagnosis and treatment of vitamin D deficiency", Cannell et al., Expert Opinion in Pharmacotherapy, 2008 9(1), citando "Hypovitaminosis D in medical inpatients", Thomas et al., New England Journal of Medicine, 1998; 338(12):777-83.

[8] "Prevalence of vitamin D deficiency and its determinants in Australian adults etc", Daly et al., Oxford Journal of Clinical Endocrinology, 2012 Jul; 77(1):26-35.

Capítulo 2 – A maldição do Alzheimer

[1] "Is vitamin D important for preserving cognition? A positive correlation of serum 25-hydroxyvitamin D concentration with cognitive function", Przybelski RJ, Binkley NC, Archives of Biochemistry & Biophysics, 15 de abril de 2007; 460(2):202-5. Epub, 8 de janeiro de 2007.

[2] O "nível ideal" é o recomendado pelo Conselho de Vitamina D. Os níveis restantes são aqueles definidos por agências de saúde. Muitas agências estão agora começando a perceber que a "deficiência" pode realmente ser definida a partir do ponto onde a "insuficiência" atualmente se encontra. Isso se tornará óbvio quando você ler alguns dos resultados do estudo.

[3] O sinal < representa "inferior ou igual a". O oposto é "maior que".

[4] "Vitamin D Is Associated With Cognitive Function inElders Receiving Home Health Services", Buell et al., Journals of Gerontology, J Gerontol A Biol Sci Med Sci (2009) 64A (8): 888-895. doi: 10.1093/gerona/glp0.

[5] "Association Between 25-Hydroxyvitamin D Levels And Cognitive Performance In Middle-Aged And Older European Men", Lee et al., Journal of Neurology, Neurosurgery & Psychiatry 80, 7 (2009) 722.

[6] "Predictors of clock drawing test (CDT) performance in elderly patients attending an internal medicine outpatient clinic: A pilot study on sun exposure and physical activity", Aydin et al., Archives of Gerontology and Geriatrics, Volume 52, Tópico 3, maio-junho de 2011, páginas e226–e231.

[7] "Vitamin D deficiency: implications for acute care in the elderly and in patients with chronic illness", Youssef et al., Geriatrics & Gerontology International, Vol. 11, tópico 4, outubro de 2011:395-407.

[8] "Higher Vitamin D dietary intake is associated with lower risk of Alzheimer's Disease: a 7-year follow-up", Annweiler et al., Journals of Gerontology, publicação on-line em 13 de abril de 2012, doi: 10.1093/Gerona/gls107.

[9] "Vitamin D and cognitive function", Soni et al., Scandinavian Journal of Clinical and Laboratory Investigation, abril de 2012, Vol. 72, No S243:79-82.

[10] "Genomic and nongenomic signalling induced by 1l,25(OH)2- vitamin D3 promotes the recovery of Amyloid-ß etc", Mizwicki et al., Journal of Alzheimer's Disease, Vol. 29, Tópico 1 2012:51-62.

[11] "Vitamin D receptor and Alzheimer's Disease: a genetic and functional study", Wang et al., Neurobiology of Aging, Vol. 33, Tópico 8:1844e1-1844e9, agosto de 2012.

Capítulo 3 – Transtornos do espectro autista

[1] "Autism and vitamin D", Cannell J, Med Hypotheses. 2008;70(4):750-9. Publicação on-line, 24 de outubro de 2007.

[2] "On the aetiology of autism", John Cannell, Acta Paediatrica 2010; 99, Tópico 8:1128- 1130, http://onlinelibrary.wiley.com/ doi/10.1111/j.1651-2227.2010.01883.x/full.

[3] See page 13 of the 2008 Cancer Society of NZ/MoH Position Statement.

[4] "Effect of a vitamin/mineral supplement on children and adults with autism", Adams et al., BMC Pediatrics 2011, 11:111, http://www.biomedcentral.com/1471- 2431/11/111.

[5] "On the aetiology of autism", John Cannell, Acta Paediatrica 2010; 99, Tópico 8:1128- 1130, http://onlinelibrary.wiley.com/ doi/10.1111/j.1651-2227.2010.01883.x/full.

[6] "Vitamin D deficiency and insufficiency in pregnant women: a longitudinal study", Holmes et al., British Journal of Nutrition, 2009; 31:1-6.

[7] "Vitamin D supplementation: recommendations for Canadian mothers and infants", Canadian Paediatric Society, Journal of Paediatric Child Health, 2007; 12:583-98.

[8] "Month of conception and risk of autism", Zerbo et al., Epidemiology, julho de 2011, Vol. 22, Tópico 4:469-475.

[9] "Risk factors for autism and Asperger syndrome", Haglund, N, e Kallen, K, Autism, março de 2011, vol. 15 no. 2:163-183.

[10] "Prevalence of autism in children of Somali origin living in Stockholm", Barnevik- Olsson et al., Developmental Medicine & Child Neurology, dezembro de 2010, Vol. 52, Tópico 12:1167-1168.

[11] "Hyperlocomotion associated with transient prenatal vitamin D deficiency etc", Burne et al., Behav. Brain Res, 2006; 174:119-24.

[12] "Prevalence of autism according to maternal immigrant status and ethnic origin", Dealberto, M J, Acta Psychiatrica Scandinavia, maio de 2011, Vol. 123, Tópico 5:339- 348.

[13] "On the aetiology of autism", John J Cannell, Acta Paediatrica, maio de 2010" http:// www.ncbi.nlm.nih.gov/pmc/articles/PMC2913107/pdf/apa0099-1128.pdf.

[14] Somali American Autism Support, http://saaswa.org/?page_id=94, acessado em julho de 2012.

[15] Um estudo de membros da tribo masai na África Oriental descobriu que seus níveis de vitamina D eram de surpreendentes 47,6 ng/ml (119 nmol/L), em média, mais do que o dobro da média dos africanos que vivem na América. Consulte "Traditionally living populations in East Africa have a mean serum 25-hydroxyvitamin D concentration of 115 nmol/L", Luxwolda et al. British Journal of Nutrition. 2012. doi:10.1017/ S0007114511007161.

[16] "Brief report: prevalence of autistic spectrum disorders in the Sultanate of Oman", Yahya et al., Journal of Autism and Developmental Disorders, 2011, Vol. 41, Tópico 6:821-825.

[17] "Time trends in reported autistic spectrum disorders in Israel, 1972-2004", Senecky et al., Israeli Medical Assn Journal, janeiro de 2009;11(1):30-3, http://www.ima.org.il/ imaj/ar09jan-05.pdf.

[18] "No effect of MMR withdrawal on the incidence of autism: a total population study", Honda et al., Journal of Child Psychology and Psychiatry, Volume 46, Tópico 6, páginas 572–579, junho de 2005.

[19] "Sociodemographic risk factors for autism in a US metropolitan area", Bhasin TK, Schendel D, Journal of Autism and Developmental Disorders, 2007; 37:667-77. Consulte também "Geographic distribution of autism in California", Van Meter et al., Autism Research, 2010; 3:19-29.

[20] "Vitamin D and autism: Clinical review", Kocovská et al., Research in Developmental Disabilities, Volume 33, Tópico 5, setembro-outubro de 2012, páginas 1541–1550.

[21] "Autism Spectrum Disorders Following In Utero Exposure To Antiepileptic Drugs", M. L. Evatt, Neurology, 22 de setembro de 2009 vol. 73, no. 12997.

[22] "On the aetiology of autism", John Cannell, Acta Paediatrica 2010; 99, Tópico 8:1128-1130, http://onlinelibrary.wiley.com/ doi/10.1111/j.1651-2227.2010.01883.x/full.

[23] "Transcriptomic analysis of human lung development", Kho et al., American Journal of Respiratory Critical Care Medicine, 2010; 181:54-63.

[24] "Letters, Vitamin D Insufficiency", Weiss S & Litonjua A, NEJM 364:14, 7 de abril de 2011, página 1379.

Capítulo 4 – Asma e alergias

[1] Centers for Disease Control and Prevention. National Center for Health Statistics. National Health Interview Survey Raw Data, 1997-2009.

[2] "The Burden of Asthma in New Zealand", Holt S & Beasley R, Asthma & Respiratory Foundation of NZ, dezembro de 2001.

[3] Revista Investigate, janeiro/fevereiro de 2001, páginas 26-33, http://www.investigatemagazine.com/pdf%27s/jan2.pdf.

[4] Como ponto de referência, Boston situa-se na latitude 42N.

[5] "Cord blood 25-hydroxyvitamin D levels and risk of respiratory infection, wheezing and asthma", Camargo et al., Pediatrics 2011, Vol. 127, Tópico 1:e180-e187.

[6] "Induction of cathelicidin in normal and CF bronchial epithelial cells by 1,25-dihydroxyvitamin D(3)", Yim et al., Journal of Cystic Fibrosis, 2007; 6(6):403- 410. Consulte também "UVB radiation induces the expression of antimicrobial peptides in human keratinocytes in vitro and in vivo", Glaser et al., Journal of Allergy & Clinical Immunology 2009; 123(5):1117-1123.

[7] "Randomized trial of vitamin D supplementation to prevent seasonal influenza A in schoolchildren", Urashima et al., American Journal of Clinical Nutrition, 10 de março de 2010, doi: 10.3945/ajcn.2009.29094, http://www.anaboliclabs.com/User/ Document/Articles/Vitamin%20D/11.%20Urashima,%20Vit%20D,%202010.pdf.

[8] "Vitamin D and atopy and asthma phenotypes in children: a longitudinal cohort study", Hollams et al., European Respiratory Journal, dezembro de 2011, Vol. 38, No. 6:1320-1327.

[9] "Vitamin D in asthma and allergy: what next?", Weiss S & Litonjua A, European Respiratory Journal, dezembro de 2011, Vol. 38 No. 6:1255-1257.

[10] "Vitamin D deficiency as a strong predictor of asthma in children", Bener et al., International Archives of Allergy and Immunology, 2012; 157(2):168-175.

[11] "The Effect of Vitamin D and Inhaled Corticosteroid Treatment on Lung Function in Children", Wu et al., Am. J. Respir. Crit. Care Med., 12 de julho de 2012, rccm.201202-0351OC.

Capítulo 5 – Câncer de mama

[1] "Calcium Plus Vitamin D Supplementation and the Risk of Breast Cancer", Chlebowski et al., J Natl Cancer Inst Volume 100, Tópico 22:1581-1591.

[2] "Calcium plus vitamin D supplementation and the risk of colorectal cancer", Wactawski-Wende et al., N Engl J Med., 16 de fevereiro de 2006; 354(7):684-96.

[3] "Calcium and vitamin D supplements and health outcomes: a reanalysis of the Women's Health Initiative (WHI) limited-access data set", Bolland et al., Am J Clin Nutr outubro de 2011 vol. 94 no. 4 1144-1149.

[4] "Vitamin D status at breast cancer diagnosis: correlation with tumor characteristics, disease outcome and genetic determinants of vitamin D insufficiency", Hatse et al., Carcinogenesis. 24 de maio de 2012. [Publicação on-line antes da impressão].

[5] "Vitamin D status at breast cancer diagnosis", Hatse et al., Carcinogenesis 2012, publicação on-line em 23 de maio, doi: 10.1093/carcin/ bgs187.

[6] É também um exemplo direto de como os estudos podem ser diferentes. O estudo de 2008 do programa Iniciativas para a Saúde da Mulher descobriu que 400 UI por dia de vitamina D não fazem nenhuma diferença, enquanto no estudo de 2007 uma dose quase três vezes maior fez claramente. Consulte "Vitamin D and calcium supplementation reduces cancer risk", Lappe et al., American Journal of Clinical Nutrition, 2007, 85(6):1586-91, http://img2. tapuz.co.il/forums/1_153137280.pdf.

[7] "Vitamin D status and breast cancer risk", Colston et al., Anticancer Res. Julho-agosto de 2006; 26(4A):2573-80.

[8] "In tests, vitamin D shrinks breast cancer cells", por Suzan Clarke, ABC News, 22 de fevereiro de 2010.
[9] "The association between breast cancer prognostic indicators and serum 25-OH vitamin D levels", Peppone et al., Annals of Surgical Oncology, 2012, doi: 10.1245/ s10434-012-2297-3.
[10] http://www.webmd.com/breast-cancer/breast-cancer-typeser-positive-her2-positive.
[11] "Vitamin D and breast cancer", Shao et al., The Oncologist, janeiro de 2012; Vol. 17(1):36-45.
[12] "Adolescent intakes of vitamin D and calcium and incidence of proliferative benign breast disease", Su et al., Breast Cancer Research & Treatment, 2012, doi: 10.1007/ s10549-012-2091-8.
[13] "Serum 25-hydroxyvitamin D and risk of breast cancer: esults of a large population-based case-control study in Mexican women", Fedirko et al., Cancer Causes And Control, 2012, Vol 23(7):1149-1162.
[14] "Does the evidence for an inverse relationship between serum vitamin D status and breast cancer risk satisfy the Hill criteria?", Mohr et al., Dermato-Endocrinology, Volume 4, Tópico 2, abril/maio/junho de 2012, http://www.es.landesbioscience.com/journals/dermatoendocrinology/2012DE0186.pdf.
[15] "Pretreatment Serum Concentrations of 25-Hydroxyvitamin D and Breast Cancer Prognostic Characteristics: A Case-Control and a Case-Series Study", Yao et al., PLoS ONE 6(2): e17251. doi:10.1371/journal.pone.0017251,http://www.plosone.org/article/info%3Adoi%2F10.1371%2Fjournal.pone.0017251
[16] "The effect of various vitamin D supplementation regimens in breast cancer patients", Peppone et al., Breast Cancer Research & Treatment, Volume 127, Número 1 (2011), 171-177, http://www.ncbi. nlm.nih.gov/pmc/articles/PMC3085185/.
[17] "Vitamin D insufficiency in North America", Hanley et al., J Nutr. 2005;135:332– 337. Consulte também: "Redefining vitamin D insufficiency", Malabanan et al., Lancet. 1998;351:805–806. Consulte também: "Estimates of optimal vitamin D status", Dawson-Hughes et al., Osteoporos Int. 2005;16:713–716.
[18] "Vitamin D status and effect of low-dose cholecalciferol and high-dose ergocalciferol supplementation in multiple sclerosis", Hiremath et al. Mult Scler. 2009;15:735–740. Consulte também "Vitamin D supplementation and fracture incidence in elderly persons. A randomized, placebo-controlled clinical trial", Lips et al., Ann Intern Med. 1996;124:400–406. Consulte também "Can vitamin D supplementation reduce the risk of fracture in the elderly? A randomized controlled trial", Meyer et al., J Bone Miner Res. 2002;17:709–715. Consulte também "High prevalence of vitamin D deficiency despite supplementation in premenopausal women with breast cancer undergoing adjuvant chemotherapy", Crew et al. J Clin Oncol. 2009;27:2151–2156.
[19] "Vitamin D threshold to prevent aromatase inhibitorinduced arthralgia: a prospective cohort study." Prieto-Alhambra D, Javaid MK, Servitja S, Arden NK, Martinez-Garcia M, DiezPerez A, Albanell J, Tusquets I, Nogues X. Breast Cancer Res Treat. 2011;125:869–878.
[20] "Diagnosis and treatment of vitamin D deficiency", Cannell et al., Expert Opin Pharmacother. 2008;9:107–118.
[21] "A phase 2 trial exploring the effects of high-dose (10, 000 IU/day) vitamin D(3) in breast cancer patients with bone metastases", Amir et al., Cancer 2010; 116:284– 291. Consulte também "High-dose oral vitamin D3 supplementation in the elderly", Bacon et al., Osteoporos Int. 2009;20:1407–1415. Consulte também "A phase I/II dose-escalation trial of vitamin D3 and calcium in multiple sclerosis", Burton et al., Neurology. 2010;74:1852–1859. Consulte também "No significant effect on bone mineral density by high doses of vitamin D3 given to overweight subjects for one year", Jorde et al., Nutr J. 2010;9:1.

Capítulo 6 – Câncer de cólon e de próstata

[1] "Optimal vitamin D status for colorectal cancer prevention: a quantitative meta analysis", Gorham et al., American Journal of Preventive Medicine, 2007; 32(3):210-16.
[2] "Circulating 25-Hydroxyvitamin D Levels and Survival in Patients With Colorectal Cancer", Ng et al., Journal of Clinical Oncology, 20 de junho de 2008, vol. 26, no. 182984-2991. Consulte também "Prospective study of predictors of vitamin D status and survival in patients with colorectal cancer", Ng et al., British Journal of Cancer, 15 de setembro de 2009; 101(6):916-23.
[3] "Prospective study of sérum vitamin D and câncer mortality in the United States", Freedman et al.,

jornal of the National Cancer Institute 2007; 99 (21): 1594-1602.

[4] "The association of calcium and vitamin D with risk of colorectal adenomas", Hartman *et al.*, Journal of Nutrition 2005; 135(2):252–259.

[5] "Risk factors for advanced colonic neoplasia and hyperplastic polyps in asymptomatic individuals", Lieberman *et al.*, Journal of the American Medical Association 2003; 290(22):2959–2967.

[6] "Vitamin D and prevention of colorectal adenoma: A meta-analysis", Wei *et al.*, Cancer Epidemiology, Biomarkers, and Prevention, 2008; 17(11):2958–2969.

[7] "Vitamin D, calcium supplementation, and colorectal adenomas: Results of a randomized trial", Grau *et al.*, Journal of the National Cancer Institute, 2003; 95(23):1765–1771.

[8] "Vitamin D Status in Patients With Stage IV Colorectal Cancer: Findings From Intergroup Trial N9741", Ng *et al.*, Journal of Clinical Oncology, 20 de abril de 2011, vol. 29 no. 12 1599-1606.

[9] "Solar radiation, vitamin D and survival rate of colon cancer in Norway", Moan *et al.*, Journal of Photochemistry & Photobiology, 1 de março de 2005; 78(3):189-93. Consulte também "Vitamin D3 from sunlight may improve the prognosis of breast-, colon- and prostate cancer (Norway)", Robsahm *et al.*, Cancer Causes Control, março de 2004; 15(2):149-58.

[10] "1,25-Dihydroxyvitamin D3 Receptor as a Marker of Human Colon Carcinoma Cell Line Differentiation and Growth Inhibition", Shabahang *et al.*, Cancer Res, 15 de agosto, 1993 53; 3712.

[11] "Calcium, vitamin D and colorectal câncer chemoprevention", Zhang and Giovannucci, Best Practice and Research Clinical Gastroenterology, Volume 25, Tópico 4, páginas 485-494, agosto de 2011.

[12] "A prospective study of plasma vitamin D metabolites, vitamin D receptor polymorphisms, and prostate câncer", Li *et al.*, PLoS Med. Março de 2007; (4)3:e103, http://www.ncbi.nlm.nih.gov/pmc/articles/PMC1831738/?tool=pubmed.

[13] "Vitamin D related genetic variation, plasma vitamin D, and risk of lethal prostate cancer etc", Shui *et al.*, Journal of the National Cancer Institute, 2012, 104(9):690-699.

[14] "Serum 25-Hydroxyvitamin D and Prostate Cancer Risk in a Large Nested Case- Control Study", Albanes *et al.*, Cancer Epidemiology, Biomarkers and Prevention, 22 de julho, 2011; doi: 10.1158/1055-9965.EPI-11-0403.

[15] "A prospective nested case-control study of vitamin D status and pancreatic cancer risk in male smokers", Stolzenberg-Solomon *et al.*, Cancer Research 2006; 66(20):10213–10219.

[16] "Critique of the U-shaped serum 25-hydroxyvitamin D leveldisease response relation", William Grant, Dermato-Endocrinology 1:6, 289-293; novembro/dezembro de 2009;

[17] http://health.groups.yahoo.com/group/natural_prostate_treatments/message/22796.

[18] "A prospective study of plasma vitamin D metabolites, vitamin D receptor polymorphisms, and prostate cancer", Li *et al.* PLoS Med. 2007; 4 (3): e103.

[19] "Prostate cancer risk and prediagnostic serum 25-hydroxyvitamin D levels (Finland)", Ahonen *et al.*, Cancer Causes Control. 2000; 11 (9): 847 – 852. Consulte também "Both high and low levels of blood vitamin D are associated with a higher prostate cancer risk: a longitudinal, nested case-control study in the Nordic countries", Tuohimaa *et al.*, Int J Cancer 2004; 108 (1): 104 – 108.

[20] "Serum Vitamin D Concentration and Prostate Cancer Risk: A Nested Case – Control Study", Ahn, Albanes *et al.*, Journal of the National Cancer Institute, 2008, Vol. 100, Tópico 11 | 4 de junho de 2008.

[21] "Polymorphisms in the vitamin D receptor gene, ultraviolet radiation, and susceptibility to prostate cancer", Bodiwala *et al.*, Environ Mol Mutagen. 2004. 43(2):121-127.

[22] "Serum Vitamin D Concentration and Prostate Cancer Risk: A Nested Case – Control Study", Ahn, Albanes *et al.*, Journal of the National Cancer Institute, 2008, Vol. 100, Tópico 11 | 4 de junho de 2008.

[23] "Circulating Vitamin D and Risk of Prostate Cancer – Letter", Gary Schwartz, Cancer Epidemiology, Biomarkers & Prevention, 21 de janeiro de 2012; 247; doi: 10.1158/1055-9965.EPI-11-091.

[24] "Sun exposure, vitamin D receptor gene polymorphisms, and risk of advanced prostate cancer", John *et al.*, Cancer Res. 2005. 65(12):5470-5479.

Capítulo 7 – O coração em questão

[1] http://www.cdc.gov/heartdisease/facts.htm.

[2] "Vitamin D levels predict all-cause and cardiovascular disease mortality in subjects with the metabolic syndrome: the Ludwigshafen Risk and Cardiovascular Health (LURIC) Study", Thomas *et al.*,

Diabetes Care. Maio de 2012; 35(5):1158-64. Epub de 7 de março de 2012.
[3] "Vitamin D may help in HF", MedPage Today, 22 de maio de 2012.
[4] "Vitamin D deficiency and supplementation and relation to cardiovascular health", Vacek et al., American Journal of Cardiology, 2012; 109:359-363, http://www. trackyourplaque.com/userdata/3038/file/Vitamin%20D%20and%20CVD%20-%20 AJC%20Feb%202012.pdf.
[5] http://0101.nccdn.net/1_5/3a0/1e8/00e/Cannell-Vitamin-Dstudy.pdf.
[6] "Use of vitamin D in clinical practice", Cannell & Hollis, Alternative Medicine Review, março de 2008, Vol. 13(1), http://0101.nccdn.net/1_5/3a0/1e8/00e/Cannell- Vitamin-D-study.pdf.
[7] "Statins and vitamin D: a hot topic that will be discussed for a long time", Yavuz & Ertugrul, Dermato-Endocrinology, Vol. 4, Tópico 1, jan/fev/mar de 2012.
[8] "A Prospective Randomized Controlled Trial of the Effects of Vitamin D Supplementation on Cardiovascular Disease Risk", Gepner et al., PLoS One, 7(5): e36617. doi:10.1371/journal.pone.0036617.
[9] "Vitamin D Supplementation During Winter Months Reduces Central Blood Pressure In Patients With Hypertension", Larsen et al., 22º Encontro Europeu sobre Hipertensão e Proteção Cardiovascular
[10] "Vitamin D supplements 'as good as drugs' at reducing BP", ZeeNews India, 26 de abril de 2012.
[11] "Vitamin D inadequacy is associated with significant coronary artery stenosis in a community based elderly cohort etc", Lim et al., Journal of Endocrinology & Metabolism, 1 de janeiro de 2012, Vol. 97(1):169-178.
[12] "25-Hydroxyvitamin D deficiency is associated with fatal stroke among whites but not blacks: The NHANES-III linked mortality files", Michos et al., Nutrition, Volume 28, Tópico 4, abril de 2012, páginas 367–371.
[13] "Low Dietary Vitamin D Predicts 34-Year Incident Stroke", Kojima et al., Stroke, primeira publicação on-line antes da impressão, maio de 2012, doi: 10.1161/ STROKEAHA.112.651752.
[14] "25-Hydroxyvitamin D Levels and the Risk of Stroke: A Prospective Study and Meta-analysis", Qi Sun et al., Stroke, publicação on-line antes da impressa em 22 de março de 2012, doi: 10.1161/STROKEAHA.111.636910.
[15] "Prospective Study of Serum 25-Hydroxyvitamin D Level, Cardiovascular Disease Mortality, and All-Cause Mortality in Older U.S. Adults", Adit A. Ginde MD, MPH, Robert Scragg MBBS, PhD, Robert S. Schwartz MD, Carlos A. Camargo Jr. MD, DrPH, Journal of the American Geriatrics Society, Volume 57, Tópico 9, páginas 1595–1603, setembro de 2009, http://onlinelibrary.wiley.com/doi/10.1111/j.1532- 5415.2009.02359.x/full.
[16] "Serum 25-hydroxyvitamin D concentration and risk for major clinical disease events in a community-based population of older adults: a cohort study", de Boer et al., Annals of Internal Medicine, 1 de maio de 2012; 156(9):627-34.
[17] http://www.sacbee.com/2012/07/17/4637302/vitamin-dsupplementation-may.html.

Capítulo 8 – Infecções comuns

[1] Também foi provado ser bem-sucedido em fazer o impensável – matar o vírus do herpes com aplicação tópica em testes de laboratório. Consulte a revista Investigate, junho/julho de 2012, http://www.investigatedaily.com.
[2] "Epidemic influenza and vitamin D", Aloia & Li-Ng, Epidemiol Infect 2007; 135:1095-1096.
[3] "A randomized controlled trial of vitamin D3 supplementation for the prevention of symptomatic upper respiratory tract infections", Li-Ng et al., Epidemiol. Infect. (2009), 137, 1396–1404.
[4] "Serum 25-Hydroxyvitamin D and the Incidence of Acute Viral Respiratory Tract Infections in Healthy Adults", Sabetta et al., PLoS ONE 5(6): e11088. doi:10.1371/ journal.pone.0011088.
[5] "A randomized controlled trial of vitamin D3 supplementation for the prevention of symptomatic upper respiratory tract infections", Li-Ng et al., Epidemiol. Infect. (2009), 137, 1396–1404 http://www.vitaminedelft.org/files/art/ling2009.pdf.
[6] "Cutting edge: 1,25-dihydroxyvitamin D3 is a direct inducer of antimicrobial peptide gene expression", Wang TT, et al. Journal of Immunology 2004; 173: 2909–2912.
[7] "Defensins in innate antiviral immunity", Klotman ME, Chang TL. Nature Reviews Immunology

2006; 6: 447- 456.

[8] "Carbohydrate-binding molecules inhibit viral fusion and entry by crosslinking membrane glycoproteins", Leikina E, et al. Nature Immunology 2005; 6: 995-1001.

[9] O júri também considerou que a influência da vitamina D na saúde cardiovascular não havia sido suficientemente comprovada, mas no momento de tal decisão eles não tinham os resultados dos estudos recentes que foram incluídos no presente livro, no capítulo cardio. EFSA Journal 2010; 8(2):1468 [17 pp.]. doi:10.2903/j.efsa.2010.1468.

[10] "Randomized trial of vitamin D supplementation to prevent seasonal Influenza A in schoolchildren", Urashima et al., American Journal of Clinical Nutrition, maio de 2010, 91(5):1255-60.

[11] "Vitamin D's potential to reduce the risk of hospital- acquired infections", Youssef et al., Dermato-Endocrinology, Volume 4, Tópico 2 abril/maio/junho de 2012, http:// www.landesbioscience.com/journals/dermatoendocrinology/article/20789/?show_ full_text=true&.

[12] "Pandemic influenza A (H1N1): mandatory vitamin D supplementation?" Goldstein et al. Med Hypotheses 2010; 74:756; PMID: 20006449; DOI: 10.1016/j. mehy.2009.11.006.

[13] "The seasonality of pandemic and non-pandemic influenzas: the roles of solar radiation and vitamin D", Juzeniene et al., Int J Infect Dis 2010; 14:e1099-105; PMID: 21036090; DOI: 10.1016/j. ijid.2010.09.002.

[14] http://www.naturalnews.com/033989_vitamin_D_tuberculosis.html#ixzz217RYbqP7.

[15] "Vitamin D Deficiency and Tuberculosis Progression", Talat et al., Emerging Infectious Diseases, volume 16, número 5 – maio de 2010, http://wwwnc.cdc.gov/ eid/article/16/5/09-1693.htm.

[16] "Vitamin D, tuberculin skin test conversion, and latent tuberculosis in Mongolian school-age children: a randomized, double-blind, placebo-controlled feasibility trial", Ganmaa et al., Am J Clin Nutr agosto de 2012 ajcn.034967.

[17] "Vitamin D Is Required for IFN-γ–Mediated Antimicrobial Activity of Human Macrophages", Fabri et al., Sci Transl Med 12 de outubro de 2011: Vol. 3, Tópico 104, p. 104ra102.

[18] "Vitamin D's potential to reduce the risk of hospital acquired infections", Youssef et al., Dermato-Endocrinology, Volume 4, Tópico 2 abril/maio/junho de 2012, http:// www.landesbioscience.com/journals/dermatoendocrinology/article/20789/?show_ full_text=true&.

[19] [Studies on the antimicrobial effect of vitamin D (author's transl)]. Feindt E, Ströder J. Klin Wochenschr 1977; 55:507-8; PMID: 195120; DOI: 10.1007/BF01489010.

[20] "The role of vitamin D in regulating immune responses", Toubi & Shoenfeld, Isr Med Assoc J 2010; 12:174-5; PMID: 20684184.

[21] "Antimicrobial implications of vitamin D", Youssef et al. Dermato-Endocrinol 2011; 3:1-10; PMID: 21519401; DOI: 10.4161/ derm.3.4.15027.

[22] "Healthcare costs of Staphylococcus aureus and Clostridium difficile infections in veterans: role of vitamin D deficiency," Youssef et al. Epidemiol Infect 2010; 138:1322-7; PMID: 20056018; DOI: 10.1017/S0950268809991543.

[23] "Healthcare costs of methicillin resistant Staphylococcus aureus and Pseudomonas aeruginosa infections in veterans: role of vitamin D deficiency", Youssef et al. Eur J Clin Microbiol Infect Dis 2012; 31:281-6; PMID: 21695580; DOI: 10.1007/s10096- 011-1308-9.

[24] "Relationship between vitamin D status and ICU outcomes in veterans", McKinney et al. J Am Med Dir Assoc 2011; 12:208-11; PMID: 21333923; DOI: 10.1016/j. jamda.2010.04.004.

[25] "Relationship of Vitamin D Deficiency to Clinical Outcomes in Critically Ill Patients", Higgins et al., JPEN J Parenter Enteral Nutr 2012; ; PMID: 22523178; DOI: 10.1177/0148607112444449.

[26] "Vitamin D deficiency is associated with poor outcomes and increased mortality in severely ill patients," Arnson et al., QJM, (2012) doi: 10.1093/qjmed/hcs014.

[27] "Vitamin D's potential to reduce the risk of hospital- acquired infections", Youssef et al., Dermato-Endocrinology, Volume 4, Tópico 2 abril/maio/junho de 2012, http:// www.landesbioscience.com/journals/dermatoendocrinology/article/20789/?show_ full_text=true&.

Capítulo 9 – Concepção, gravidez, infância: por que o seu bebê precisa de vitamina D

[1] "Erectile dysfunction and the cardiovascular patient: endothelial dysfunction is the common denominator", Solomon et al. Heart 2003; 89:251-3; PMID: 12591819; DOI: 10.1136/ heart.89.3.251.

[2] "Erectile dysfunction as a harbinger for increased cardiometabolic risk", Billups et al., Int J Impot Res 2008; 20:236- 42; PMID: 18200018; DOI: 10.1038/ sj.ijir.3901634.

[3] "Aortic atherosclerotic disease and stroke", Kronzon I, Tunick PA. Circulation 2006; 114:63-75; PMID: 16818829; DOI: 10.1161/CIRCULATIONAHA.105.593418.

[4] Stöppler MC, Lee D, Kulic D, Peripheral MD. Vascular Disease. MedicineNet.com. http://www.medicinenet.com/peripheral_vascular_disease/article.htm.

[5] "Vitamin D is positively associated with sperm motility and increases intracellular calcium in human spermatozoa", Jensen et al., Human Reproduction (2011) 26 (6): 1307-1317. doi: 10.1093/ humrep/ der059.

[6] "Circulating vitamin D correlates with serum antimüllerian hormone levels in late-reproductive-aged women: Women's Interagency HIV Study", Mehri et al., Fertility and Sterility, Volume 98, Tópico 1, Páginas 228-234, julho de 2012.

[7] "Vitamin D metabolism, sex hormones and male reproductive function", Jensen, M, Reproduction May 25, 2012 REP- 12-0064.

[8] Wehr E, Pilz S, Boehm BO, März W, Obermayer-Pietsch B. Association of vitamin D status with serum androgen levels in men. Clin Endocrinol (Oxf), 29 de dezembro de 2009.

[9] "Vitamin D and fertility – a systematic review", Elisabeth Lerchbaum and Barbara Obermayer-Pietsch, Eur J Endocrinol. 2012 May;166(5):765-78. Epub 2012, Jan 24, http://www.eje-online.org/content/ early/2012/01/24/EJE-11-0984. full.pdf.

[10] "Vitamin D association with estradiol and progesterone in young women", Knight et al., Cancer Causes & Control. Março de 2010;21(3):479-83.

[11] "Vitamin D can aid fertility", by Rebecca Smith, The Telegraph, 11 November 2008.

[12] "Effects of 25OHD concentrations on chances of pregnancy and pregnancy outcomes: a cohort study in healthy Danish women", Mølle et al., European Journal of Clinical Nutrition (2012) 66, 862–868; doi:10.1038/ejcn.2012.18.

[13] "Vitamin D and Its Role During Pregnancy in Attaining Optimal Health of Mother and Fetus", Wagner et al., Nutrients 2012, 4(3), 208-230; doi:10.3390/nu4030208.

[14] "Vitamin D and pregnancy: An old problem revisited", Barrett H, McElduff A, Best Practice & Research, Clinical Endocrinology & Metabolism. 2010 Aug;24(4):527-39.

[15] "Maternal vitamin D status in pregnancy is associated with adiposity in the offspring", Crozier et al., American Journal of Clinical Nutrition, julho de 2012, doi: 10.3945/ajcn.112.037473.

[16] A vitamina D também pode ajudar os adultos. Um estudo de mulheres acima de 65 anos nos EUA descobriu que aquelas com níveis mais baixos de vitamina D tiveram um ganho de peso maior durante os quatro anos e meio do estudo. Consulte "Associations Between 25-Hydroxyvitamin D and Weight Gain in Elderly Women", LeBlanc et al., Journal of Women's Health, publicação on-line de 25 de junho de 2012, doi:10.1089/jwh.2012.3506.

[17] "Check vitamin D in adolescents before bariatric surgery", Clinical Endocrinology News, 28 de junho de 2012.

[18] "Vitamin D levels and food and environmental allergies in the United States: Results from the National Health and Nutrition Examination Survey 2005-2006", Sharief et al., Journal of Allergy and Clinical Immunology, Volume 127, Tópico 5, maio de 2011, páginas 1195–1202.

[19] "Food allergic infants more likely to have vitamin D insufficiency", Family Practice News, 22 de março de 2012, citando o Journal of Allergy and Clinical Immunology, 2012; 129[suppl.]:AB14.

[20] "Vitamin D and Its Role During Pregnancy in Attaining Optimal Health of Mother and Fetus", Wagner et al., Nutrients 2012, 4(3), 208-230; doi:10.3390/nu4030208.

[21] "Maternal vitamin D status during pregancy and childhood bone mass at 9 years: A longitudinal study", Javaid et al. Lancet 2006, 367, 36-43.

[22] "Serum 25-hydroxyvitamin D and calcium homeostasis in the United Arab Emirates mothers and neonates: A preliminary report", Dawodu et al. Middle East Paediatr. 1997, 2, 9-12.

[23] "Vitamin D deficiency in Iranian mothers and their neonates: A pilot study", Bassir et al. Acta Paediatr. 2001, 90, 577-579.

[24] "High prevalence of vitamin D deficiency among pregnant women and their newborns in northern India", Sachan et al., Am. J. Clin. Nutr. 2005, 81, 1060-1064.

[25] "Vitamin D deficiency in pregnant New Zealand women", Judkins, A.; Eagleton, C.. N. Z. Med. J. 2006, 119, U2144.

[26] High prevalence of hypovitaminosis D in pregnant Japanese women with threatened premature delivery", Shibata et al. J. Bone Miner. Metab. 2011, 29, 615-620.

[27] "High prevalence of vitamin D deficiency in pregnant non- Western women The Hague, Netherlands", Van der Meer et al. Am. J. Clin. Nutr. 2006, 84, 350-353.

[28] "Vitamin D status during normal pregnancy and postpartum. A longitudinal study in 141 Danish women", Milman et al. J. Perinat. Med. 2011, 40, 57-61.

[29] "Cord Blood Vitamin D Deficiency Is Associated With Respiratory Syncytial Virus Bronchiolitis", Belderbos et al., Pediatrics Vol. 127, Número 6, 1 de junho de 2011 páginas e1513 -e1520 (doi: 10.1542/peds.2010-3054), http://pediatrics. aappublications.org/content/127/6/e1513.full.

[30] "Neonatal Vitamin D Status and Risk of Schizophrenia – A Population-Based Case-Control Study", McGrath et al., Arch Gen Psychiatry. 2010;67(9):889-894. doi:10.1001/ archgenpsychiatry.2010.110, http://archpsyc.jamanetwork.com/ article. aspx?articleid=210878.

[31] "Low Vitamin D Linked to Schizophrenia," Discovery ews, 7 Sep, 2010, http:// news.discovery.com/human/vitamin-dschizophrenia.html.

[32] Se você está preocupado com uma possível doença mental em seus filhos, tenha bebês antes dos 25 anos. Os estudos mostraram um aumento de 17% no risco de esquizofrenia para crianças cujos pais têm 30 anos, aumentando para dobrar o risco em que o pai tem 45 anos, e três vezes o risco em que o pai tem mais de 50 anos. Pensa-se que a falha reside na espermatogênese que, por coincidência, demonstrou melhorar em homens com altos níveis de vitamina D. "Advancing paternal age and the risk of schizophrenia," Malaspina et al., Archives of General sychiatry, 2001 Apr;58(4):361-7.

[33] "The Antecedents of Schizophrenia: A Review of Birth Cohort Studies," Welham et al., Schizophrenia Bulletin (2009) 35 (3): 603-623. doi: 10.1093/schbul/sbn084 http:// schizophreniabulletin.oxfordjournals.org/content/35/3/603.full#ref-77.

[34] Essa discrepância escandinava, que está em desacordo com estudos de outras partes do mundo, continua aparecendo. Em um estudo publicado em agosto de 2012, amostras de sangue de 247 mil cidadãos dinamarqueses foram analisadas para o risco de mortalidade relativo à vitamina D. Os níveis de vitamina D mais seguros para os dinamarqueses parecem ser de 50-60 nmol/L (20-24 ng/ml). Comparados com o grupo de suporte, dinamarqueses com níveis mais baixos mostraram-se 2,1 vezes mais propensos a morrer, enquanto a curva U apareceu novamente com a revelação de que dinamarqueses com níveis mais altos do que 140 nmol/L (56 ng/ml) tinham 1,4 vez mais probabilidades de morrer. Para os escandinavos, a questão que deve ser feita é se os séculos de vida em áreas com baixos índices de vitamina D têm causado reações microevolutivas. Seriam eles, por exemplo, mais eficientes no processamento de baixas doses de vitamina D, de modo que estão recebendo os benefícios com um menor investimento e não precisam de doses mais elevadas? Ou seriam menos eficientes no processamento, deixando altos níveis séricos, mas menos vitamina D biologicamente ativa? Consulte "A reverse J-shaped association of all-cause mortality with serum 25-hydroxyvitamin D in general practice, the CopD study", Durup et al., Journal of Clinical Endocrinology & Metabolism, agosto de 2012, 97(8), doi: 10.1210jc.2012-1176.

[35] Imigrantes negros são até cinco vezes mais propensos a terem filhos esquizofrênicos, "Schizophrenia and migration: a meta- analysis and review", Cantor-Graae E, Selten JP. American Journal of Psychia-

try, janeiro de 2005;162(1):12-24.

[36] "Foresight mental capital and wellbeing: discussion paper 12: putative prevention strategies to reduce serious mental illness in migrant and black and minority ethnic groups. London, England", Kirkbride JB, Jones PB.: Her Majesty's Stationary Office; 2008;

[37] A "incidência" de esquizofrenia é a taxa de novos diagnósticos a cada ano. A "prevalência" é a proporção de pessoas que vivem com a doença em determinado momento no tempo (% total de doentes na comunidade).

[38] "Serologic evidence of prenatal influenza in the etiology of schizophrenia" Brown et al., Archives of General Psychiatry. Agosto de 2004;61(8):774-80.

[39] "Vitamin D supplementation during the first year of life and risk of schizophrenia: a Finnish birth cohort study", McGrath et al., Schizophrenia Research, Volume 67, Tópicos 2–3, 1º de abril de 2004, páginas 237–245.

[40] "Vitamin D supplementation during pregnancy: double- blind, randomized clinical trial of safety and effectiveness", Hollis et al., Journal of Bone & Mineral Research, outubro de 2011;26(10):2341-57. doi: 10.1002/jbmr.463.

[41] "Placenta-specific methylation of the vitamin D 24-hydroxylase gene: implications for feedback autoregulation of active vitamin D levels at the fetomaternal interface", Novakovic et al. J. Biol. Chem. 2009, 284, 14838-14848.

[42] "Association between Vitamin D Deficiency and Primary Cesarean Section", Merewood et al., The Journal of Clinical Endocrinology & Metabolism March 1, 2009 vol. 94, número 3, 940-945.

[43] "Maternal vitamin D and fetal growth in early-onset severe preeclampsia", Robinson et al., apresentado no 73º Encontro Anual da Associação South Atlantic de Ginecologistas e Obstetras, Hot Springs, VA, 30 de janeiro – 2 de fevereiro de 2011.

[44] "The In Utero Effects of Maternal Vitamin D Deficiency – How it Results in Asthma and Other Chronic Diseases", Weiss and Litonjua, American Journal Of Respiratory And Critical Care Medicine Vol 183 2011:1286-1287.

[45] "Fetal origins of adult disease: strength of effects and biological basis", Barker et al. Int J Epidemiol 2002; 31:1235–1239.

46 "Being born in winter can mess with your head", Charles Choi, LivesScience.com, 11 de maio de 2012.

[47] "Seasonal Distribution of Psychiatric Births in England", Disanto et al., PLoS ONE, 7(4): e34866. doi:10.1371/journal.pone.0034866.

[48] "Birth seasonality in bipolar disorder, schizophrenia, schizoaffective disorder and stillbirths", Torrey et al., (1996). Schizophr Res 21: 141–149.

[49] "Effect of month of birth on the risk of suicide", Salib E, Cortina-Borja M (2006). Br J Psychiatry 188: 416–422.

[50] "Milk won't make kids Einsteins", Daily RX News, maio de 2012, www.dailyrx.com/news-article/vitamin-d-does-not-improve-academic-performance-or-brainschildren-18580.html.

Capítulo 10 – Doenças mentais

[1] "Treating vitamin D deficiency may improve depression among women", Allison Cerra, DrugstoreNews, www.drugstorenews.com/article/treating-vitamin-d-deficiency-may-improve-depression-among-women.

[2] "Vitamin D status of psychiatric inpatients in New Zealand's Waikato region", Menkes et al., BMC Psychiatry, June 2012, BMC Psychiatry 2012, 12:68 doi:10.1186/1471- 244X-12-68 http://www.biomedcentral.com/content/pdf/1471-244X-12-68.pdf.

[3] "Vitamin D and psychotic features in mentally-ill adolescents – a cross sectional study", Gracious et al., BMC Psychiatry 2012, 12:38.

Capítulo 11 – Esclerose múltipla

[1] O primeiro estudo científico a fazer essa pergunta foi em 1974: Goldberg P. Multiple sclerosis: vitamin D and calcium as environmental determinants of prevalence (a viewpoint). Parte 1: sunlight, dietary factors and epidemiology. Intern J Environ Stud 1974; 6: 19–27.
[2] "Timing of birth and risk of multiple sclerosis: population based study", Willer et al., BMJ. 15 de janeiro de 2005; 330(7483): 120. doi: 10.1136/bmj.38301.686030.63.
[3] "Serum 25-Hydroxyvitamin D Levels and Risk of Multiple Sclerosis", Munger et al., Journal of the American Medical Association, JAMA. 2006;296(23):2832-2838. doi:10.1001/ jama.296.23.2832.
[4] "Past exposure to sun, skin phenotype, and risk of multiple sclerosis: case-control study", van der Mei et al., British Medical Journal, 9 de agosto de 2003; 327(7410): 316. doi: 10.1136/bmj.327.7410.316, http://www.ncbi.nlm.nih.gov/pmc/articles/PMC169645/.
[5] "Vitamin D status is associated with relapse rate in pediatric-onset multiple sclerosis", Mowry et al., Annals of Neurology, Volume 67, Tópico 5, páginas 618–624, maio de 2010.
[6] "Gestational vitamin D and the risk of multiple sclerosis in offspring", Mirzaei et al., Annals of Neurology, Volume 70, Tópico 1, páginas 30–40, julho de 2011.
[7] "A genetic cause for multiple sclerosis is identified and funded by science patron Jeffrey Epstein", comunicado de imprensa, 16 de junho de 2012, www. jeffreyepsteinfoundation.com.
[8] "Vitamin D and multiple sclerosis: a review", Ascherio et al., Lancet Neurol 2010; 9: 599–612, http://66.160.145.48/seaton/ pdfs/27/Ascherio_2010.pdf.
[9] "Serum 25-hydroxyvitamin D levels and risk of multiple sclerosis", Munger et al. JAMA 2006; 296: 2832–38.
[10] "Vitamin D deficiency: a worldwide problem with health consequences", Holick et al., Am J Clin Nutr 2008; 87 (suppl): 1080S–86S. Consulte também "Vitamin D deficiency: a global perspective, Prentice A. Nutr Rev 2008; 66 (suppl 2): S153–64.
[11] Hollis BW. Circulating 25-hydroxyvitamin D levels indicative of vitamin D sufficiency: implications for establishing a new effective dietary intake recommendation for vitamin D. J Nutr 2005; 135: 317–22. Consulte também "Human serum 25-hydroxycholecalciferol response to extended oral dosing with cholecalciferol", Heaney et al., Am J Clin Nutr 2003; 77: 204–10.
[12] O ponto em que os médicos pesquisadores acreditam ter encontrado o tratamento mais bem-sucedido para uma determinada condição e acreditam serem eticamente obrigados a anunciar os resultados e submetê-los a teste formal.

Capítulo 12 – Doença de Crohn e diabetes tipo 1

[1] "Higher Predicted Vitamin D Status Is Associated With Reduced Risk of Crohn's Disease", Ananthakrishna et al., Gastroenterology, Volume 142, Tópico 3, março de 2012, Páginas 482–489.
[2] "Clinical trial: vitamin D3 treatment in Crohn's disease – a randomized double-blind placebo-controlled study", Jorgenson et al., Alimentary Pharmacology & Therapeutics, Volume 32, Tópico 3, páginas 377–383, agosto de 2010.
[3] "Vitamin D may be easy, low-risk way to relieve symptoms of Crohn's disease", by Monica Smith, Gastroenterology & Endoscopy News, junho de 2012, Vol 63:6
[4] "Antibacterial effects of vitamin D", Hewison, Nature Reviews Endocrinology 7, 337-345 (junho de 2011) | doi:10.1038/ nrendo.2010.226.
[5] "Intake of vitamin D and risk of type 1 diabetes: a birth- cohort study", Hypponen et al., Lancet 2001;358:1500-3.
[6] "Vitamin D supplementation in early childhood and risk of type 1 diabetes: a systematic review and meta-analysis", C S Zipitis & A K Akobeng, Arch Dis Child 2008;93:512-517 doi:10.1136/adc.2007.128579.
[7] "Maternal Serum Levels of 25-Hydroxy-Vitamin D During Pregnancy and Risk of Type 1 Diabetes in the Offspring," Sorenson et al., Diabetes, January 2012 vol. 61 no. 1 175-178, http://diabetes.diabetesjournals.org/content/61/1/175.full.

Capítulo 13 – Protetor solar: um perigo claro e presente

[1] "Cutaneous ultraviolet exposure and its relationship to the development of skin cancer", Rigel DS, J

Am Acad Dermatol. 2008: 58(5 suppl 2):S129-S132) http://www.sciencedirect.com/science/article/pii/S0190962207024139.

[2] Um estudo de 2005 declarou que PABA causou câncer de tireoide em ratos, "Promotion of thyroid carcinogenesis by para-aminobenzoic acid in rats initiated with N-bis(2-hydroxypropyl)nitrosamine", Hasumara et al., Toxicological Sciences, julho de 2005;86(1):61-7. E-pub de 20 de abril de 2005.

[3] Outros países, como Inglaterra, Nova Zelândia e Austrália, em alguns casos permitem, na formulação de protetores solares, o uso de outros compostos que não são aprovados para uso humano nos EUA.

[4] Também conhecido nas embalagens como butilmetoxidibenzoilmetano.

[5] http://www.ewg.org/analysis/toxicsunscreen.

[6] "Metabolism of 2-hydroxy-4-methoxybenzophenone in isolated rat hepatocytes and xenoestrogenic effects of its metabolites on MCF-7 human breast cancer cells", Nakagawa & Suzuki, Chem Biol Interactions Journal, 2002; 139:115-128. Consulte também "UV filters with antagonistic action at androgen receptors etc", Ma et al., Toxicological Sciences, 2003; 74:43-50. Veja também "Additive estrogenic effects of mixtures of frequently used UV filters on pS2- gene transcription in MCF-7 cells", Heneweer et al., Toxicol Appl Pharmacol 2005; 208:170-177.

[7] Academia Americana de Pediatria, http://aapnews.

[8] "Estrogenic activity and reproductive effects of the UV- filter oxybenzone (2-hydroxy-4-methoxyphenyl-methanone) in fish", Coronado et al., Aquatic Toxicology, Volume 90, Tópico 3, 21 de novembro de 2008, Páginas 182–187.

[9] "Safety of Oxybenzone: Putting Numbers Into Perspective", Wang et al., Archives of Dermatology, 2011;147(7):865-866. doi:10.1001/archdermatol.2011.173.

[10] "Altered UV absorbance and cytotoxicity of chlorinated sunscreen agents", Sherwood et al., Journal of Cutaneous and Ocular Toxicology, 18 de janeiro de 2012, http://www.ncbi.nlm.nih.gov/pubmed/22257218.

[11] Os radicais livres são elétrons soltos dentro de um átomo ou estrutura molecular que tornam a estrutura "reativa" até encontrar o equilíbrio, geralmente ao quebrar outra ligação química nas proximidades para restaurar a sua carga positiva ou negativa para a posição neutra. Até aí tudo bem. O problema surge quando a estrutura com a qual eles reagem é uma célula do seu corpo, porque o dano resultante pode causar câncer ou interferir com outras funções do organismo. Nós usamos antioxidantes para tentar neutralizar esses radicais livres, proporcionando-lhes algo para se conectarem que não seja parte de você, mas é um tiro no escuro. Não há nenhuma garantia de que os radicais livres criados pela quebra do protetor solar através dos raios UV, vão necessariamente se ligar com os antioxidantes – como um raio em busca do caminho mais rápido até o chão, um radical livre vai quebrar o que estiver mais fácil e mais próximo no momento.

[12] "Current sunscreen controversies: a critical review", Burnett & Wang, Photodermatology, Photoimmunology & Photomedicine, 2011; 27: 58-67.

[13] "Sunscreen enhancement of UV-induced reactive oxygen species in the skin", Hanson et al., Free Radical Biology and Medicine, Volume 41, Tópico 8, 15 de outubro de 2006, Páginas 1205–1212

[14] "Sunscreen – a catch 22", Blum & Larsen, Young Scientists Journal, 2010, tópico 8:11-14.

[15] Ibid.

[16] "Current sunscreen controversies: a critical review", Burnett & Wang, Photodermatology, Photoimmunology & Photomedicine, 2011; 27: 58-67.

[17] "UV irradiation-induced zinc dissociation from commercial zinc oxide sunscreen etc", Martorano et al., Journal of Cosmetic Dermatology, vol 9, tópico 4, dezembro de 2010:276-286.

[18] "DNA damaging potential of zincoxide nanoparticles in human epidermal cells", Sharma et al., Toxicology Letters, Volume 185, Tópico 3, 28 de março de 2009, Páginas 211–218.

[19] "Ultraviolet radiation reports shine light on how pediatricians can help patients avoid skin cancer", Sophie Balk MD, Academia Americana de Pediatria, 2011.

[20] "Exploring the safety of nanoparticles in Australian sunscreens", Faunce, International Journal of Biomedical Nanoscience and Nanotechnology, Vol 1, no. 1, 2010:87-94, doi 10.1504/IJBNN.2010.034127.

[21] "Evaluation of percutaneous absorption of the repellent diethyltoluamide and the sunscreen ethylhexyl p-methoxycinnamate-loaded solid lipid nanoparticles: an in-vitro study", Puglia et al., J Pharm Pharmacol. Agosto de 2009;61(8):1013-9.
[22] Veja a lista de ingredientes, fornecedor do Conselho do Câncer da Austrália, http:// www.skinhealth.com.au/site/repelplus.html.
[23] "Impact of prenatal exposure to piperonyl butoxide and permethrin on 36-month neurodevelopment", Horton et al., Pediatrics. Março de 2011;127(3):e699-706 http:// www.ncbi.nlm.nih.gov/ pubmed/21300677.
[24] "Natural insect sprays may be as toxic to children as lead paint – Study", InvestigateDaily, 14 de dezembro de 2011, http://www.investigatemagazine.co.nz/ Investigate/?p=2078.
[25] Um estudo publicado em maio de 2012 acompanhou os resultados pediátricos, que concluíram que o BOP causa danos "críticos de desenvolvimento neurológico", veja "The Insecticide Synergist Piperonyl Butoxide Inhibits Hedgehog Signaling: Assessing Chemical Risks", Wang et al., Toxicological Sciences, (2012) doi: 10.1093/ toxsci/kfs165 http://toxsci.oxfordjournals. org/content/early/2012/05/03/toxsci.kfs165.short.
[26] Por outro lado, os cientistas agora sabem que o butóxido de piperonilo é "imunotóxico" para os peixes, consulte "Immunotoxic and cytotoxic effects of atrazine, permethrin and piperonylbutoxide to rainbow trout following in vitro exposure", Shelley et al., Fish & Shellfish Immunology, Volume 33, Tópico 2, agosto de 2012, Páginas 455–458.
[27] Com base nas datas de criação e modificação do PDF disponível no site da Sociedade do Câncer, acessado em junho de 2012. Consulte http://www.cancernz. org.nz/assets/files/products/Insect_Repellent- MSDS-091013.pdf.
[28] Consulte o fornecedor do Conselho do Câncer da Austrália, http://www.skinhealth. com.au/site/repelplus.html.
[29] http://www.cancer.org.au/cancersmartlifestyle/SunSmart/nanoparticles_sunscreen. html.
[30] "Nanoparticles Used in Common Household Items Cause Genetic Damage in Mice", ScienceDaily, 17 de novembro de 2009.
[31] Como mostra a lista de ingredientes disponível no site da Sociedade do Câncer da NZ, http://www.cancernz.org.nz/products/technical-info/ consultada em junho de 2012.
[32] "Vitamin E and the Risk of Prostate Cancer", Klein et al., Journal of the American Medical Assn (JAMA), 12 de outubro de 2011, Vol 306, No. 14, http://jama. jamanetwork.com/article.aspx?articleid=1104493.
[33] "Photodamage of the skin: protection and reversal with topical antioxidants", Burke, K E. J Cosmet Dermatol. 2004 Jul;3(3):149-55.
[34] "Active ingredients in sunscreens act as topical penetration enhancers for the herbicide 2,4-dichlorophenoxyacetic acid", Pont et al., Toxicology & Applied Pharmacology. 15 de março de 2004;195(3):348-54

Capítulo 14 – Melanoma: a causa podem ser os protetores solares?

[1] "UV protection and sunscreens: What to tell patients", Jou et al., Cleveland Clinic Journal of Medicine, Vol 79, número 6, junho de 2012, páginas 427-436
[2] "Sunscreen use and malignant melanoma", Westerdahl et al., International Journal of Cancer, 1o de julho de 2000, Volume 87, Tópico 1, páginas 145-150
[3] "Ultraviolet radiation reports shine light on how pediatricians can help patients avoid skin cancer", Sophie J. Balk, M.D., FAAP, http://aapnews.aappublications.org/ content/32/3/32.short
[4] "Where the Rubba Meets The Road", Wishart & Morrow, Investigate magazine, julho de 2005, http:// issuu.com/iwishart/docs/investigate_july05/39
[5] "Serum 25-Hydroxyvitamin D3 Levels are Associated With Breslow Thickness At Presentation and Survival From Melanoma", Newton-Bishop et al., Journal of Clinical Oncology, 21 de setembro de

2009, DOI:10.1200/JCO.2009.22.1135

[6] Os picos de raios UV na Nova Zelândia e Austrália são 40% mais altos do que os picos na Grã-Bretanha ou na América do Norte, de acordo com a declaração de posição oficial sobre radiação UV e câncer publicada pelo Ministério da Saúde do governo da NZ.

[7] Uma nota de advertência. O efeito protetor do banho de sol não se estende às pessoas com sardas ou pele fotossensível. Uma abordagem de bom senso sugere que a suplementação de vitamina D é uma aposta melhor para esses indivíduos.

[8] Por razões de equilíbrio, é importante ressaltar que o nosso sol se mostrou mais ativo no século passado do que nos últimos mil anos. Isso foi anunciado pelo Instituto Max Planck de Pesquisa do Sistema Solar na Alemanha em 2004 e relatado no The Telegraph, 19 de julho de 2004.

[9] "UV Protection and Sunscreens", Jou et al., Cleveland Clinic Journal of Medicine, Volume 79, Número 6, junho de 2012

[10] Ibid, sub-referencing "Sunscreen abuse for intentional sun exposure" by Autier, P. Br Journal of Dermatology 2009; 161(suppl 3):40-45

[11] "Prolonged prevention of squamous cell carcinoma of the skin by regular sunscreen use", Van der Pols et al., Cancer Epidemiol Biomarkers Prev 2006;15:2546-2548

[12] "The Good, the Bad, and the Ugly of Sunscreens", M Berwick, Clinical Pharmacology & Therapeutics, Jan 2011, doi:10.1038/clpt.2010.227

[13] "Sunscreen plain English Questions and Answers, 14 de fevereiro de 2012" NZ Cancer Society pamphlet, http://www.cancernz.org.nz/assets/files/info/SunSmart/ Sunscreen%20QA%27s_14Feb2012%283%29.pdf

[14] "Dark Side of Tanning Campaign conveys deadly message to young Victorians this summer", comunicado Sunsmart Austrália, 2 de dezembro de 2010

[15] "Reduced Melanoma after Sunscreen Use", Green et al., Journal of Clinical Oncology, 2011; 29:257-263

[16] "UV Protection and Sunscreens etc", Jou et al., citing a follow up response, "Increased Melanoma After Regular Sunscreen Use?", Goldenhersh & Koslowsky, Journal of Clinical Oncology, 2011, 29:e557-e558

[17] "In vitro UV-A protection factor (PF-UVA) of organic and inorganic sunscreens", Couteau et al., Pharmaceutical Development and Technology, 2009;14(4):369-72, http://www.ncbi.nlm.nih.gov/pubmed/19630696?dopt=Abstract

[18] http://www.pgbeautyscience.com/assets/files/research_updates/UV%20Toolkit%20 063005.pdf

[19] "The Truth About Sunscreen and Effective Patient Education", Lawrence Samuels MD, Practical Dermatology, março de 2011:27-32, http://www.bmctoday.net/ practicaldermatology/pdfs/0311%20 sunscreen%20feature.pdf

[20] "Increased UVA exposures and decreased cutaneous Vitamin D(3) levels may be responsible for the increasing incidence of melanoma", Godar et al., Medical Hypotheses. Abril de 2009;72(4):434-43

[21] "Phenotypic markers, sunlight-related factors and sunscreen use in patients with cutaneous melanoma: an Austrian case-control study", Wolf et al., Journal of Melanoma Research, agosto de 1998;8(4):370-8, http://www.ncbi.nlm.nih.gov/ pubmed/9764814?dopt=Abstract

[22] Em contraste com o impacto do banho de sol na redução do risco de melanoma, a atual "queridinha" da dermatologia é a aspirina, com uma série de relatórios que sugerem que uma baixa dose diária de aspirina pode reduzir o risco de melanoma. Se você ler o tal estudo, verá que a redução do risco é de 13% ao longo de um período de sete anos. Nada comparado com 91%! Consulte "Nonsteroidal anti-inflammatory drugs and the risk of skin cancer: A population-based case-control study", Johannesdottir et al., Cancer, publicação on-line de 29 de maio de 2012, doi: 10.1002/cncr.27406

[23] "Factors related to being sunburnt in 7-year-old children in Sweden", Rodvall et al., European Journal of Cancer, 2010 Feb;46(3):566-72, http://www.ncbi.nlm.nih.gov/ pubmed/19815405?dopt=Abstract.

[24] "Sunscreen and Melanoma: Is Our Prevention Message Correct?", Margaret B. Planta MD, Journal of the American Board of Family Medicine, novembro-dezembro de 2011, volume 24 número 6, 735-739

doi: 10.3122/jabfm.2011.06.100178.

[25] United States Environmental Protection Agency. Sunscreen: The Burning Facts. http://www.epa.gov/sunwise/doc/sunscreen.pdf.

[26] "Does vitamin D protect against DNA damage?", Nair- Shalliker et al., Mutation Research, 1o de maio de 2012;733(1-2):50-7. Veja também "The Role of the Vitamin D Receptor and ERp57 in Photoprotection by 1,25-Dihydroxyvitamin D3," Sequiera et al., Molecular Endocrinology, 9 de fevereiro de 2012 me.2011-1161. Consulte também "Vitamin D and skin cancer", Dixon et al., Human Health Handbooks no. 1, 2012, Volume 2, Parte 5, 394-411, DOI: 10.3920/978-90-8686-729-5_24.

[27] "Vitamin D may indeed help fight cancer," by David Liu, Food Consumer.org, 27 April 2012.

[28] "Moles and melanoma – researchers find genetic links to skin cancer", notícia lançada pelo Leeds Institute of Molecular Medicine and the Cancer Research UK Centre, 6 de julho de 2009.

[29] No final de 2011, a mesma equipe de pesquisa descobriu mais três genes associados ao risco. Uma falha do DNA está ligada à narcolepsia (ataques súbitos de sono), o segundo é um gene defeituoso que não consegue reparar o DNA danificado em células como deveria e o terceiro fator de risco está em um gene defeituoso que supostamente deveria evitar que as células cancerosas se espalhem. Se você estiver carregando essas três falhas genéticas, o risco de desenvolver melanoma durante sua vida é de 1:46. Consulte "Genome- wide association study identifies three new melanoma susceptibility loci", Barret et al., Nature Genetics [doi: 10.1038/10.1038/ ng.959].

[30] "Sun sensitivity linked to decreased pancreatic cancer risk, study suggests", Amanda Chan, Huffington Post, 20 de junho de 2012, http://www.huffingtonpost.com/2012/06/20/sun-pancreatic-cancer--risk-sensitivity-uv-rays-vitamind_n_1609095.html.

[31] "The Good, the Bad, and the Ugly of Sunscreens", M Berwick, Clinical Pharmacology & Therapeutics, janeiro de 2011, doi:10.1038/ clpt.2010.227.

[32] Não é correto afirmar, como fazem alguns, que as campanhas de proteção contra os raios solares não têm impactado os níveis de vitamina D, como este trecho de um estudo sobre o câncer de intestino ilustra: "Nossos resultados são consistentes com uma recente análise do National Health and Nutrition Examination Survey (NHANES), que constatou uma baixa média de plasma 25(OH)D de 24 ng/mL entre 13.369 participantes entre 2001 e 2004. Isso representa uma diminuição acentuada do NHANES III (1988-1994), quando a média dos níveis de 25(OH)D foi de 30 ng/mL. Explicações potenciais para o aumento da insuficiência de vitamina D incluem o aumento do uso de protetor solar para a prevenção do câncer de pele, diminuição da atividade ao ar livre e o aumento da prevalência da obesidade". Consulte http://jco. ascopubs.org/content/29/12/1599.ful.l

Capítulo 15 – Vitamina D: melhores fontes

[1] "Place mushrooms in sunlight to get your vitamin D: part one", Paul Stamets, Huffington Post, 2 de julho de 2012.

[2] "Western Australia gets vitamin D enhanced mushrooms", 6 de julho de 2012 www. freshplaza.com/print.asp?id=97180.

[3] O Instituto de Medicina lista esses níveis como "seguros", mas a RDA define os níveis ideais como muito menores.

[4] Isto também vale para o argumento "alimentação do peito é a melhor". É, mas só se a mãe tem reservas adequadas de vitamina D no seu sistema. A dose de 500 UI de vitamina para uma gravidez não vai proteger seu bebê ou você. Bebês amamentados são agora um grupo de risco reconhecido para deficiência de vitamina D e raquitismo.

[5] "Randomised comparison of the effects of the vitamin D adequate intake vs 100mcg (4000IU) per day on biochemical responses and the wellbeing of patients", Vieth et al., Nutrition 2004; Nutr J. 2004; 3: 8. Publicação on-line de 19 de julho de 2004. doi: 10.1186/1475-2891-3-8, consulte http://www.ncbi.nlm.nih.gov/pmc/articles/ PMC506781.

[6] "The vitamin D epidemic and its health consequences", Holick MF, Journal of Nutrition 2005; 135:2739S-2748S.

[7] http://www.mdpi.com/2072-6643/4/3/208/htm.

[8] "Developmental vitamin D deficiency alters brain protein expression in the adult rate: implications for neuropsychiatric disorders", Almeras et al., Proteomics, 2007; 7:769-780. Consulte também "Developmental vitamin D3 deficiency alters the adult rat brain", Feron et al., Brain Res Bull 2005; 65:141-148, e "Vitamin D deficiency during various stages of pregnancy in the rat; its impact on development and behaviour in adult offspring", O'Loan et al., Psychoneuroendocrinology 2007; 32:227-234.

[9] "Vitamin D requirements during lactation: high-dose maternal supplementation as therapy to prevent hypovitaminosis D for both the mother and the nursing infant", Hollis et al., American Journal of Clinical Nutrition, 2004; 79:717-726.

[10] Dito isto, os médicos têm deliberadamente suplementado pacientes com esclerose múltipla para elevar seus níveis sanguíneos em uma média de 154 ng/ml sem efeitos negativos durante o estudo de 28 semanas. Consulte "Safety of vitamin D3 in adults with multiple sclerosis", Kimball et al., American Journal of Clinical Nutrition 2007; 86:645-651.

[11] "Annual intramuscular injection of a megadose of cholecalciferol for treatment of vitamin D deficiency: efficacy and safety data", Diamond et al., Med J agosto de 2005; 183:10-12.

[12] "Efficacy of an oral, 10-day course of high-dose calciferol in correcting vitamin D", Wu et al., N Z Med J. 8 de agosto de 2003;116(1179):U536.

[13] http://www.iom.edu/Reports/2010/Dietary-ReferenceIntakes-for-Calcium-and- Vitamin-D.aspx

[14] http://jcem.endojournals.org/content/96/1/53/reply.

[15] Ross AC, Manson JE, Abrams SA, Aloia JF, Brannon PM, Clinton SK, Durazo- Arvizu RA, Gallagher JC, Gallo RL, Jones G, Kovacs CS, Mayne ST, Rosen CJ, Shapses SA 2011 The 2011 report on dietary reference intakes for calcium and vitamin D from the Institute of Medicine: what clinicians need to know. J Clin Endocrinol Metab 96:53-58.

[16] Hanley DA, Cranney A, Jones G, Whiting SJ, Leslie WD, Cole DEC, Atkinson SA, Josse RG, Feldman S, Kline GA, Rosen C 2010 Vitamin D in adult health and disease: a review and guideline statement from Osteoporosis Canada. CMAJ 182: [e-pub anterior à publicação impressa, 7 de setembro de 2010.].

[17] "Why the IOM recommendations for vitamin D are deficient", Heaney RP, Holick MF 2011. J Bone Miner Res (na imprensa) março de 2011 [e-pub anterior à publicação impressa 1/5/11.] 4. "The D-batable Institute of Medicine report: A D-lightful perspective", Holick MF 2011. Endocr Prac 17:143-149.

[18] "Top Vitamin D Papers of 2011 – Dosage Recommendations and Clinical Applications", William B. Grant, Ph.D, 10 de abril de 2012, http://orthomolecular.org/ resources/omns/v08n12.shtml.

[19] "Why the IOM recommendations for vitamin D are deficient", Heaney RP, Holick MF. J Bone Miner Res. 2011;26(3):455-7.

[20] "Does the evidence for an inverse relationship between serum vitamin D status and breast cancer risk satisfy the Hill criteria?", Mohr et al., Dermato-Endocrinology, Volume 4, Tópico 2 abril/maio/junho de 2012, http://www.es.landesbioscience.com/ journals/dermatoendocrinology/2012DE0186.pdf.

[21] Rosen et al., Endocrine Reviews, June 2012, 33(3):456–492 http://edrv.endojournals. org/content/33/3/456.full.pdf+html.

[22] "Vitamin D and Pregnancy: Skeletal Effects, Nonskeletal Effects, and Birth Outcomes", Hollis & Wagner, Calcified Tissue International, 2012, DOI: 10.1007/ s00223-012-9607-4.

Capítulo 16 – A posição da nova zelândia: um comentário

[1] "Sun-shy infants developing rickets'", NZ Doctor, 14 de dezembro de 2011.

[2] Ibid.

[3] Ou, possivelmente deliberado, dado que o Instituto de Medicina dos EUA tem realizado exatamente a mesma façanha.

[4] "Vitamin D deficiency as a strong predictor of asthma in children", Bener et al., International Archives of Allergy & Immunology, 2012; 157:168-175.

[5] "Position Statement: The risks and benefits of sun exposure in New Zealand", Cancer Society *et al.*, agosto de 2008.

[6] "Consensus Statement on vitamin D and sun exposure in New Zealand", Ministério da Saúde e Sociedade do Câncer da Nova Zelândia, 14 de março de 2012.

[7] Um dos estudos no qual as autoridades da Nova Zelândia confiam para a alegação de "inconclusividade" é o estudo da Women's Health Initiative, citado no início do capítulo sobre o câncer de mama nesse livro. Devido à sua dimensão, envolvendo mais de 30.000 mulheres, equipes de pesquisa continuam aprofundando-se nele e dizem que não há ligação entre a vitamina D e o câncer. Mas a amostra de dados foi fundamentalmente falha, já que a dose de vitamina D de 400 UI por dia provou ser demasiadamente pequena para influenciar o câncer. Como uma equipe de pesquisa observou no ano passado, confiar no estudo do WHI tem seu perigo: "A dose baixa de vitamina D fornecida, a adesão limitada e a falta dos valores de 25(OH)D no soro devem ser consideradas ao interpretar os resultados". Consulte "The Effect of Calcium plus Vitamin D on Risk for Invasive Cancer: Results of the Women's Health Initiative (WHI) Calcium Plus Vitamin D Randomized Clinical Trial", Brunner *et al.*, Nutrition and Cancer Volume 63, Tópico 6, 2011.

[8] Amada por políticos e burocratas, "Consenso" é uma palavra suja na ciência real. A ciência trabalha para a progressão contínua, testes e retestes. Qualquer coisa está aberta ao desafio, se puder ser comprovada. "Consenso" é o último refúgio dos charlatães, porque implica que as ações da ciência tenham sido concluídas quando nunca podem ser.

[9] "Vitamin D Status of New Zealand Adults", Ministry of Health, 14 de março de 2012, http://www.health.govt.nz/publication/vitamin-d-status-new-zealand-adults.

[10] É sabido que o Hospital de Auckland tem bombardeado pacientes com 50.000 UI de vitamina D por dia, durante 10 dias, a fim de fornecer um estímulo de emergência, assim que descobertos níveis de vitamina D pouco abaixo de 10 ng/mL, http://www.ncbi.nlm.nih.gov/pubmed/14513083.

[11] "The effect of various vitamin D supplementation regimens in breast cancer patients", Peppone *et al.*, Breast Cancer Research & Treatment, Volume 127, Número 1 (2011), 171-177, http://www.ncbi.nlm.nih.gov/pmc/articles/PMC3085185/.

[12] "Vitamin D insufficiency in North America", Hanley *et al.*, J Nutr. 2005;135:332– 337. Consulte também: "Redefining vitamin D insufficiency", Malabanan *et al.*, Lancet. 1998;351:805–806. Consulte também: "Estimates of optimal vitamin D status", Dawson-Hughes *et al.*, Osteoporos Int. 2005;16:713–716

[13] "Vitamin D Deficiency And Lung Function In Asthmatic Children", Medical News Today, 14 de julho de 2012, http://www.medicalnewstoday.com/articles/247836.php.

[14] "High vitamin D levels better breast cancer outcomes", by David Liu PhD, Food Consumer, 14 de julho de 2012, http://www.foodconsumer.org/newsite/Nutrition/ Vitamins/vitamin_d_breast_cancer_071410429.html.

[15] "Bikini parade raises eyebrows in Minnesota town", Duluth News Tribune, 18 de julho de 2012.

[16] "The power of D", The Press & Journal UK, 2 de junho de 2012.

[17] "The Vitamin D Factor", by Jennifer Bowden, NZ Listener, 21 de abril de 2012.

[18] "25-Hydroxyvitamin D Levels and chronic kidney disease in the AusDiab (Australian Diabetes, Obesity and Lifestyle) Study", Damasiewicz *et al.*, BMC Nephrol. 3 de julho de 2012;13(1):55

[19] Ibid.

[20] "Will your home and your car be covered when the NASA satellite breaks up and falls to Earth later this week?" MSNBC, 19 de setembro de 2011.

Livros para mudar o mundo. O seu mundo.

Para conhecer os nossos próximos lançamentos
e títulos disponíveis, acesse:

🌐 www.**citadeleditora**.com.br

f /**citadeleditora**

📷 @**citadeleditora**

🐦 @**citadeleditora**

▶ Citadel - Grupo Editorial

Para mais informações ou dúvidas sobre a obra,
entre em contato conosco pelo e-mail:

✉ contato@**citadeleditora**.com.br